语文素养读本（丛书）

温儒敏／主编
北京大学语文教育研究所／组编

小学卷　一年级／下册

穿浅蓝格子衬衫的太阳

CHUAN QIANLAN GEZI CHENSHAN DE TAIYANG

“语文素养读本”按照中小学语文课程标准编写，定位是：课外读物，分级编写，重在引发阅读兴趣，感受汉语之美，提升语文素养。分小学卷、初中卷和高中卷，每学期1册，共24册。选文体现经典性、可读性和语文性的结合。每篇附有精要的阅读提示，注重情感教育、审美教育与思维训练，注重读写能力培养，可与主流教材及教学计划配合使用。在浮躁的时期，孩子们能读到这套高尚而又妙趣横生的书，也许会让他们终生难忘。

本册主编　张洁宇
插　　图　钦吟之
责任编辑　覃文珍　陈尔杰
书籍设计　刘晓翔工作室

图书在版编目（CIP）数据

语文素养读本．小学卷．一年级．下册，穿浅蓝格子衬衫的太阳 / 北京大学语文教育研究所组编．— 北京：人民教育出版社，2015.3（2019.8 重印）

ISBN 978-7-107-27883-9

Ⅰ．①语…　Ⅱ．①北…　Ⅲ．①阅读课－小学－课外读物　Ⅳ．① G624.233

中国版本图书馆 CIP 数据核字（2015）第 052777 号

语文素养读本（丛书）小学卷　一年级　下册　穿浅蓝格子衬衫的太阳

出版发行　人民教育出版社
　　　　　（北京市海淀区中关村南大街 17 号院 1 号楼　邮编：100081）
网　　址　http://www.pep.com.cn
经　　销　全国新华书店
印　　刷　北京盛通印刷股份有限公司
版　　次　2015 年 3 月第 1 版
印　　次　2019 年 8 月第 11 次印刷
开　　本　787 毫米 ×1 092 毫米　1/16
印　　张　8
字　　数　90 千字
印　　数　210 001~230 000 册
定　　价　24.00 元

绿色印刷　保护环境　爱护健康

亲爱的读者朋友：

本书已入选"北京市绿色印刷工程——优秀出版物绿色印刷示范项目"。它采用绿色印刷标准印制，在封底印有"绿色印刷产品"标志。

按照国家环境标准（HJ2503-2011）《环境标志产品技术要求　印刷　第一部分：平版印刷》，本书选用环保型纸张、油墨、胶水等原辅材料，生产过程注重节能减排，印刷产品符合人体健康要求。

选择绿色印刷图书，畅享环保健康阅读！

北京市绿色印刷工程

前言

按照国家语文课程标准（以下简称“课标”）要求，语文课要突出“语文素养”的培育，除了课内教学，必须尽量引导学生进行课外阅读，扩大阅读面，养成阅读习惯，提升阅读品位。“课标”规定小学及初中课外阅读量要达到400万字以上。为此，北京大学语文教育研究所牵头，组织编写了这套“语文素养读本”。这套读本由原“义务教育语文课程标准”修订组组长温儒敏教授担任主编，来自北京大学、中国人民大学、首都师范大学等相关研究单位及中小学的十多位专家、作家、诗人和教师组成编写组。这套读本的定位是：课外读物，分级编写，与各个年级的语文教学呼应，重在引发阅读兴趣，感受汉语之美，提升语文素养。

“语文素养读本”从小学到高中，每学年2册，共24册。其内容安排与编写方式充分照顾到各年级学生的语文水平和“课标”的学段目标，但又大体上略高于这个标准。

选文充分体现经典性、可读性和语文性。小学阶段以童话、故事、寓言、童谣、儿童诗、科幻作品等为主；初中阶段仍以文学作品为主，包括散文、小说、诗歌、传记、科幻作品，以及议论文、说明文等；高中阶段的选文范围更广，涉及中外文学、历史、哲学、政治、经济、科技等领域。整套读本比较注重古典传统，古诗文所占比重较大，从小学低年级开始就有古诗文。

选文安排照顾到学习的梯度，尽量不和“课标”建议书目（同时也是主流教材必选书目）重复。

每册分若干个单元，便于按类型（主题或其他）组合选文。每单元三五篇作品。单元开头有简短的导语，说明本单元内容主题。每篇选文附设阅读提示，指明作品特色，引导阅读，有的偏重人文性解释，也有的偏重于艺术或者语文性分析，贴近学生的接受心理，要言不烦，力求“每文一得”。和一般教材有所不同，读本主要是学生自读，注重激发阅读兴趣。

小学低中年级有较多“亲子阅读”的内容，建议父母陪伴子女一起读，大人小孩同读一本书，可以交流和增进感情，又能借助阅读形成两代人对话的氛围与习惯，这会让孩子终身受益。

目前坊间流行的同类读本有多种，各有特色，但普遍偏重人文性，选文量大面宽，或者就是人文读本，与语文教学有些脱节。这套“语文素养读本”吸收了既有读本的编写经验，又形成自己的特色，那就是往语文素养靠拢，与正式教材及教学计划有所呼应。如对写作、阅读训练、口语交际，都有适当关注，有所体现。

中考与高考是大多数学生必须面对的巨大现实，我们编写这套读本也考虑到学生参加中考、高考的需要，但主要是在引导阅读和拓展思维方面提示，力求从根本上整体提升素养（包括能力），不重复应试教育的方法。让我们的中小学生既考得好，又不陷于题海战术，不把脑子搞死，兴趣搞无。这好像有点儿难。其实“鱼”和“熊掌”是可以兼得的，关键在于提升教学水平，包括能让学生有较多自由的课外阅读。

在应试教育的大环境中，语文课常受到挤压，很多学生和家长并不重视语文。这是极其短视的行为。许多人上了大学还没有阅读的习惯，要读也就是读一些流行的娱乐搞笑的东西，他们的思维和表达能力必然受到限制。这是语文课的失败！学语文不能只考虑应对考试，更重要的是提升语文素养。语文素养包括语言文字运用能力，及其所体现的学识、文风、情趣等人格涵养。这是现代社会公民必须具备的综合素养。语文课的重要，在于它能打下“三个基础”：为提升综合素养，学好其他课程打下基础；为形成正确的世界观、人生观、价值观，形成良好个性和健全人格打下基础；为全面发展和终身发展打下基础。而要学好语文，光靠做题是不行的，局限于课内也学不好，办法只有一个，就是把课内学习与课外阅读结合起来，多读书，好读书，读好书，读整本的书。

阅读这套书或许是个契机，就此带动我们——所有的家长和孩子们，大家都能把读书的习惯与爱好当作一种生活方式；让孩子们从小就喜欢读书，有纯正的阅读品味，让读书伴随和滋养他们的一生。

这比任何物质财富的赐予或拥有都更重要。

编者

目录

姓氏里面有学问

当我们遇到一位新朋友时，通常会这样说：“您好！您叫什么名字？”每个人都有自己的名字。名字是让别人认识我们、记住我们的最直接的工具。

名字由“姓”和“名”组成：“名”是爸爸妈妈对我们的爱和期望的表达，“姓”则记录了我们的血缘和来历。本单元的内容涉及一些关于姓氏的知识。让我们一起来了解一下吧。

《百家姓》（节选）[1]

bǎi jiā xìng jié xuǎn

《百家姓》是我国古代著名的儿童读物，成书于宋代，原收集中国人的姓氏411个，后增补到504个。通读时可以每四个字一停，易学好记。

这里选的是开头的八句。找一找，其中有没有你的姓？如果有兴趣，请在爸爸妈妈的帮助下查一查你的姓的由来。

zhào qián sūn lǐ
赵 钱 孙 李

zhōu wú zhèng wáng
周 吴 郑 王

féng chén chǔ wèi
冯 陈 褚 卫

jiǎng shěn hán yáng
蒋 沈 韩 杨

---

① 选自《三字经·百家姓·千字文》，上海古籍出版社1988年。

zhū qín yóu xǔ
朱 秦 尤 许

hé lǚ shī zhāng
何 吕 施 张

kǒng cáo yán huá
孔 曹 严 华

jīn wèi táo jiāng
金 魏 陶 姜

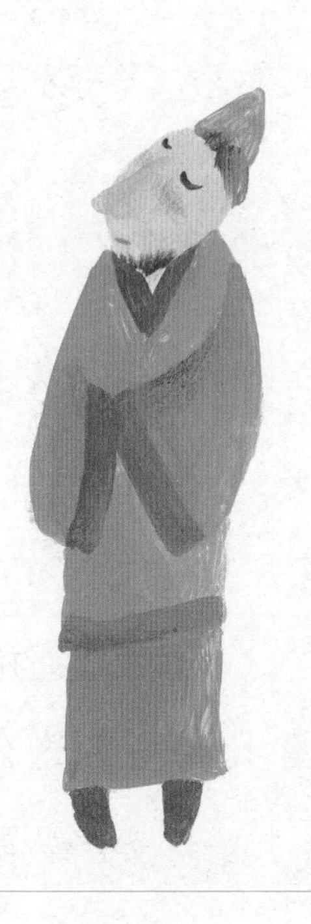

zhào qián sūn lǐ pái zuò cì

“赵钱孙李”排座次①

为什么“赵钱孙李”排在《百家姓》中的前四位？难道是因为姓赵的人数最多吗？要想找到答案，首先要知道《百家姓》出现的时间和地点。读了下面的一段文章，你就能明白《百家姓》这么排序的原因了。不妨把这个知识也讲给爸爸妈妈听听，说不定他们还不知道呢。

zhào xìng bú shì zhòng duō xìng shì dāng
“赵”姓不是众多姓氏当
zhōng rén shù zuì duō de què zài bǎi jiā
中人数最多的，却在《百家
xìng zhōng pái dì yī gè zhè shì wèi shén me
姓》中排第一个，这是为什么
ne yīn wèi bǎi jiā xìng shì běi sòng chū
呢？因为《百家姓》是北宋初

① 选自《百家姓故事》，方贝贝等编著，中华书局2011年。本文标题为编者所加。

nián wán chéng de sòng cháo de huáng dì zhào kuāng yìn
年完成的，宋朝的皇帝赵匡胤

xìng zhào zhào zì rán jiù chéng wéi nà shí
姓赵，“赵”自然就成为那时

de tiān xià dì yī xìng bù pái zài shǒu
的“天下第一姓”，不排在首

wèi jiù yǒu qī jūn zhī zuì huì yǐn
位，就有“欺君之罪”，会引

huò shàng shēn de yòu yīn wèi bǎi jiā xìng
祸上身的！又因为《百家姓》

xíng chéng yú sòng dài qián táng dì qū ér dāng nián
形成于宋代钱塘地区，而当年

kòng zhì qián táng de wú yuè guó guó jūn xìng qián
控制钱塘的吴越国国君姓钱，

suǒ yǐ qián xìng biàn pái zài le dì èr wèi
所以“钱”姓便排在了第二位。

dāng shí wú yuè guó guó jūn de wáng fēi xìng sūn
当时吴越国国君的王妃姓孙，

sūn xìng jiù pái zài le dì sān wèi yǔ
“孙”姓就排在了第三位。与

wú yuè xiāng lín de nán táng guó jūn xìng lǐ qiě
吴越相邻的南唐国君姓李，且

wéi dāng shí huá xià dà xìng suǒ yǐ lǐ
为当时华夏大姓，所以“李”

xìng pái zài le dì sì wèi zhè yàng jiù yǐ

姓排在了第四位。这样就以

zhào qián sūn lǐ zuò wéi le bǎi jiā xìng

“赵钱孙李”作为了《百家姓》

de qián sì wèi

的前四位。

xìng hé shì

姓和氏[1]

方贝贝

“姓氏”是一个词,其中包含了“姓”和“氏”两个字。“姓”和“氏”的含义一样吗?读读下面这篇文章,然后用你的话说一说,“姓”和“氏”到底有什么不同?

---

xiàn zài cháng shuō xìng shì qí shí

现在常说“姓氏”,其实

xìng hé shì yuán běn shì bù tóng de

“姓”和“氏”原本是不同的。

xìng hé zú shì jǐn mì lián xì zài yì qǐ

姓和“族”是紧密联系在一起

de xìng shì zú de biāo zhì lì rú zhōu shì

的,姓是族的标志,例如周是

---

① 选自《中国孩子最喜爱的国学读本(漫画版)》小学卷(上),冯天瑜主编,北京大学出版社2011年。

jī xìng nà me zhǐ yào xuè tǒng shǔ yú zhōu zú
姬姓，那么只要血统属于周族

de dōu huì yǐ jī wéi xìng
的，都会以姬为姓。

yí gè zú shì huì fán yǎn kuò dà de
一个族是会繁衍扩大的，

xīn de jiā zú bú duàn chū xiàn zú rén zhī jiān
新的家族不断出现，族人之间

yě yǒu bù tóng de fēn gōng rú hé chēng hu zhè
也有不同的分工，如何称呼这

xiē xīn de qún tǐ ne yú shì xìng zhī
些新的群体呢？于是“姓”之

wài yòu yǒu le shì shì shì xìng
外又有了“氏”，“氏”是姓

de fēn zhī yí gè dà zú nèi bù de fēn zhī
的分支。一个大族内部的分支

jiā zú yǒu de bèi fēn fēng dào yí gè qū
家族，有的被分封到一个区

yù yǒu de dān rèn le guān zhí zhè yàng jiù
域，有的担任了官职，这样就

yǒu yǐ fēng dì wéi shì yǐ guān zhí wéi shì
有以封地为氏、以官职为氏

de lì rú ān huī huái hé yán àn xìng chén
的。例如安徽淮河沿岸，姓陈、

xìng cài de tè bié duō qí shí zài guò qù
姓蔡的特别多，其实在过去，
zhè lǐ shì chén guó hé cài guó de dì pán chén
这里是陈国和蔡国的地盘。陈
guó shì shùn de hòu dài yǐ guī wéi xìng
国是舜的后代，以妫为姓，
hòu rén yǐ fēng dì wéi shì jiù xìng le
后人以封地为氏，就“姓”了
chén cài guó shì zhōu wǔ wáng dì di shū dù de
陈；蔡国是周武王弟弟叔度的
fēng dì yīng gāi shì jī xìng hòu rén yǐ fēng
封地，应该是姬姓，后人以封
dì wéi shì jiù xìng le cài yòu rú
地为氏，就“姓”了蔡。又如
xìng shī de zǔ shang wǎng wǎng shì gōng tíng
姓“师”的，祖上往往是宫廷
de yuè shī xìng shǐ de zǔ shang wǎng
的乐师；姓“史”的，祖上往
wǎng shì shǐ guān děng
往是史官等。

zài xiān qín xìng shì yòng lái bié
在先秦，“姓”是用来“别
hūn yīn de yě jiù shì shuō tóng xìng de
婚姻”的，也就是说，同姓的

nán nǚ bù néng jié hūn shì shì yòng
男女，不能结婚；“氏”是用
lái míng guì jiàn de yì bān lái shuō
来“明贵贱”的，一般来说，
zhǐ yǒu yǒu yí dìng dì wèi de rén cái néng yǒu
只有有一定地位的人，才能有
shì qín hàn yǐ hòu pǔ tōng bǎi xìng cái yǒu
氏。秦汉以后，普通百姓才有
le xìng shì
了姓氏。

我的伙伴

在学校里，你是不是有很多好朋友呢？你们是不是彼此关心、互相帮助，像家人一样？本单元的诗文是关于朋友的。只不过，它们不是人类，而是我们身边的动物、植物，甚至是没有生命的水滴。其实，只要你以对待朋友的心来对待世间万物，那么世间万物就都是你的朋友。

yào shi nǐ gěi lǎo shǔ chī bǐng gān
要是你给老鼠吃饼干[1]

［美国］劳拉·乔菲·努梅罗夫

“要是你给老鼠吃饼干”，你能猜得出最后的结果会是什么吗？

请认真朗读这个故事，看看这只可爱的小老鼠都会做些什么。读过之后，把书合上，试着自己讲一遍小老鼠所做的事情。你也可以用“要是……”开头编一个故事，还可以邀请爸爸妈妈或同学一起来个故事接龙。

yào shi nǐ gěi lǎo shǔ chī bǐng gān， tā huì yào bēi niú nǎi。
要是你给老鼠吃饼干，他会要杯牛奶。

děng dào nǐ gěi tā niú nǎi， tā huì wèn nǐ yào gēn xī guǎn。
等到你给他牛奶，他会问你要根吸管。

---

① 选自《要是你给老鼠吃饼干》，费利西亚·邦德绘图，任溶溶译，少年儿童出版社2005年。

吃完了，喝完了，他会要块餐巾。

他还要照镜子，不要有牛奶沾在他的胡子上。

他一照镜子，会看到他的头发得要剪一剪。

他就会问你借把小剪刀。

等到头发剪好了，他会要把扫帚把地扫干净。

他一动起手来，可就来劲了，把整座房子一个个房间都扫遍。

bú dàn sǎo hái huì yòng shuǐ bǎ dì bǎn
不但扫，还会用水把地板
dà shuā dà xǐ
大刷大洗！

tā gàn lèi le huì yào shuì huì er
他干累了，会要睡会儿。

nà nǐ jiù děi gěi tā gè kōng hé zi zuò
那你就得给他个空盒子做
chuáng zài jiā shang tǎn zi hé zhěn tou
床，再加上毯子和枕头。

tā yú shì pá jìn hé zi tǎng de shū
他于是爬进盒子，躺得舒
shu fu fu hái bǎ zhěn tou pāi a pāi pai
舒服服，还把枕头拍啊拍拍
sōng
松。

tā hái huì qǐng nǐ gěi tā niàn gè gù
他还会请你给他念个故
shi
事。

nǐ zhǐ hǎo ná chū shū lái niàn gěi tā
你只好拿出书来念给他
tīng zhè shí tā huì xiǎng yào kàn kan shū shang de
听，这时他会想要看看书上的

图画。

他一看图画，起劲得要自己动手画一幅。

他会要你给他纸和蜡笔。

他动手就画起来。

等到画画好，他要签上他的大名，而且用钢笔。

于是他要把他这幅画，贴到你的冰箱上。

这就要用上胶带纸。

等到他的画贴好，他会退后两步欣赏它。

zhè me kàn zhe bīng xiāng，tā huì xiǎng qǐ

这么看着冰箱，他会想起

lai tā kǒu kě le

来他口渴了。

yú shì

于是……

tā huì yào bēi niú nǎi hē

他会要杯牛奶喝。

jì rán tā yào hē niú nǎi，zì rán huì

既然他要喝牛奶，自然会

yào kuài bǐng gān lái yì qǐ chī

要块饼干来一起吃。

xún zhǎo xiǎo māo

寻找小猫①

若生养的小猫走丢了。若生的哥哥想了个办法，在报纸上登了一则寻猫广告。这的确是个好办法，小猫被送回了家。如果你丢了东西，你会自己写寻物广告吗？

若生找到小猫以后非常高兴，他给爸爸写信报告这个好消息。你知道怎么写信吗？你给爸爸妈妈写过信吗？读一读若生的信，相信对你会有帮助。

ruò shēng yǎng yì zhī xiǎo māo　yì tiān

若生养一只小猫。一天，

nà xiǎo māo hū rán bú jiàn le　ruò shēng tóng tā

那小猫忽然不见了。若生同他

① 选自《开明国语课本》（小学初级第4册），叶圣陶编，丰子恺绘，开明书店1932年。有改动。

de gē ge dào chù xún zhǎo lián shēng hǎn zhe xiǎo
的哥哥到处寻找，连声喊着小

māo de míng zi xiǎo táo xiǎo táo
猫的名字：“小桃！小桃……”

dàn shì xún bú dào
但是寻不到。

tā men yòu dào qián jiē hòu xiàng qù xún
他们又到前街后巷去寻

zhǎo lián shēng hǎn zhe xiǎo māo de míng zi xiǎo
找，连声喊着小猫的名字：“小

táo xiǎo táo dàn shì yě xún bú dào
桃！小桃……”但是也寻不到。

yú shì ruò shēng kū le
于是若生哭了。

tā de gē ge shuō kū yǒu shén me
他的哥哥说：“哭有什么

yòng chù ne hái shì zài bào zhǐ shang dēng gè guǎng
用处呢？还是在报纸上登个广

gào ba
告吧。”

dì èr tiān bào zhǐ shang yǒu zhè yàng yí
第二天，报纸上有这样一

gè guǎng gào
个广告：

xún zhǎo xiǎo māo

寻找小猫

zuó tiān wǒ jiā shī qù yì zhī xiǎo māo quán bái zhī tóu dǐng yǒu táo zi xíng de yí chù huáng rú guǒ yǒu rén kàn jiàn le qǐng sòng huán yíng chūn xiàng hào dài ruò shēng

昨天我家失去一只小猫，全白，只头顶有桃子形的一处黄。如果有人看见了，请送还迎春巷32号戴若生。

yí gè xìng jīn de hái zi bǎ xiǎo táo sòng huí lái le tā shuō qián tiān kàn jiàn xiǎo táo zài lù shang jiào xiàng shì è le jiù dài tā huí qù gěi tā chī dōng xi jīn tiān kàn jiàn le guǎng gào suǒ yǐ bǎ tā sòng huí lái

一个姓金的孩子把小桃送回来了。他说前天看见小桃在路上叫，像是饿了，就带它回去，给它吃东西。今天，看见了广告，所以把它送回来。

ruò shēng gǎn xiè nà xìng jīn de hái zi bǎ xīn ài de wán jù xiǎo fān chuán sòng gěi tā

若生感谢那姓金的孩子，把心爱的玩具小帆船送给他。

ruò shēng shuō jīn tiān kuài huo jí le
若生说："今天快活极了，
wǒ yào gào su bà ba tā jiù xiě xìn
我要告诉爸爸。"他就写信。
tā xiě wán le yòu zài xìn fēng shang xiě
他写完了，又在信封上写
sòng gěi wǒ de bà ba
"送给我的爸爸"。

bà ba
爸爸：
qián tiān xiǎo táo hū rán bú jiàn le
前天，小桃忽然不见了。
wǒ zhǐ pà xún bú dào tā xīn li hěn bù hǎo
我只怕寻不到它，心里很不好
guò jīn tiān yǒu yí wèi jīn jūn bǎ tā sòng lái
过。今天有一位金君把它送来
le hǎo xiàng shōu huí le bǎo bèi wǒ shí fēn
了，好像收回了宝贝，我十分
kuài huo xiàn zài xiě zhè fēng xìn bǎ wǒ de
快活。现在写这封信，把我的
kuài huo gào su nǐ
快活告诉你。

ruò shēng
若生

生日①

shēng rì

顾城

钱夹一般都是用来装什么的，你知道吗？在这首诗里，诗人用钱夹来装了些什么？你能说说他为什么这样做吗？

你知道花籽儿怎样才能变成小花儿吗？哪些条件是必备的？请你再说出几种花儿的名字，并试着形容一下它们。如果你能用彩笔把它们画下来，那就更好啦。

yīn wèi shēng rì
因为生日

wǒ dé dào le yí gè cǎi sè de qián jiā
我得到了一个彩色的钱夹

wǒ méi yǒu qián
我没有钱

yě bù xǐ huan nà xiē fá wèi de fēn bì
也不喜欢那些乏味的分币

① 选自《顾城的诗》，人民文学出版社1998年。

wǒ pǎo dào nà ge gǔ guài de dà tǔ duī
我跑到那个古怪的大土堆

hòu
后

qù kàn nà xiē ài wǒ de xiǎo huā
去看那些爱我的小花

wǒ shuō wǒ yǒu yí gè cāng kù le
我说，我有一个仓库了

kě yǐ yòng lái zhù cún huā zǐ
可以用来贮存花籽

qián jiā li zhēn de zhuāng mǎn le huā zǐ
钱夹里真的装满了花籽

yǒu de hēi liàng hēi liàng
有的黑亮、黑亮

xiàng qí guài de xiǎo yǎn jing
像奇怪的小眼睛

wǒ yòu shuō bié pà
我又说，别怕

wǒ yào dài nǐ men dào chūn tiān de jiā li
我要带你们到春天的家里

qù
去

zài nà er nǐ men huì dé dào
在那儿，你们会得到

lǜ sè de duǎn shàng yī
绿色的短上衣

hé cǎi sè huā biān de bù mào zi
和彩色花边的布帽子

wǒ yǒu yí gè xiǎo qián jiā le
我有一个小钱夹了

wǒ bú yào qián
我不要钱

bú yào nà xiē bú huì fā yá de fēn bì
不要那些不会发芽的分币

wǒ zhǐ yào zhuāng mǎn xiǎo xiǎo de huā zǐ
我只要装满小小的花籽

wǒ yào zhī dào tā men de shēng rì
我要知道她们的生日

1981 年 12 月

wǒ zì jǐ de jiā rén

我自己的家人①

［英国］泰德·休斯

这首诗题目说的“我自己的家人”指的是爸爸妈妈、兄弟姐妹吗？请你认真阅读，想一想这个问题。像诗中所说的这样的真正的“家人”，还应该有哪些？

yǒu yí cì wǒ zǒu jìn le yí zuò xiàng shù lín, wǒ zài xún zhǎo yì zhī xióng lù.

有一次我走进了一座橡树林，我在寻找一只雄鹿。

wǒ yù dào le yí wèi lǎo tài tai——

我遇到了一位老太太——

tā de guǎi zhàng zhǎng mǎn gē da, chuān yì shēn pò bù.

她的拐杖长满疙瘩，穿一身破布。

tā shuō: "wǒ de xiǎo dōu li zhuāng zhe

她说：“我的小兜里装着

① 选自《诗生活月刊》（儿童诗专号），2008年第6期。范轶译。

nǐ de mì mì
你的秘密。”

rán hòu tā kāi shǐ jiān xiào ér wǒ jiù
然后她开始尖笑，而我就

kāi shǐ fā dǒu
开始发抖。

tā dǎ kāi dōu zi wǒ hǎo xiàng xǐng le
她打开兜子，我好像醒了

zhī hòu yòu bèi xià xǐng
之后又被吓醒——

sì zhōu shì yì qún yuán shǐ bù luò de
四周是一群原始部落的

rén wǒ bèi bǎng zài mù zhù shang
人，我被绑在木柱上。

tā men shuō wǒ men shì xiàng shù
他们说：“我们是橡树，

shì nǐ zhēn zhèng de jiā rén
是你真正的家人。

wǒ men bèi kǎn fá wǒ men bèi sī
我们被砍伐，我们被撕

suì nǐ què yǎn jing zhǎ yě bù zhǎ
碎，你却眼睛眨也不眨。

chú fēi nǐ xiàn zài xiàng wǒ men bǎo
除非你现在向我们保

zhèng bù rán nǐ xiàn zài jiù yào sǐ
证——不然你现在就要死。”

měi dāng nǐ kàn dào yì kē xiàng shù dǎo
“每当你看到一棵橡树倒

xià bǎo zhèng nǐ yào zāi liǎng kē
下，保证你要栽两棵。

chú fēi nǐ fā shì bù rán xiàng shù de
除非你发誓，不然橡树的

hēi pí jiù huì biàn chéng nǐ liǎn shang de zhòu wén
黑皮就会变成你脸上的皱纹，

hái huì bǎ nǐ de jiǎo zhǎng chéng shù gēn
还会把你的脚长成树根，

ràng nǐ zài yě lí bù kāi zhè lǐ
让你再也离不开这里。”

zhè shì wǒ zài shù xià zuò de mèng, zhè
这是我在树下做的梦，这

ge mèng gǎi biàn le wǒ
个梦改变了我。

dāng wǒ cóng xiàng shù lín zhōng zǒu chū, huí
当我从橡树林中走出，回

dào rén hǎi dāng zhōng
到人海当中，

wǒ zǒu lù de yàng zi hái shì xiǎo hái
我走路的样子还是小孩，

dàn wǒ de xīn shì yì kē shù
但我的心是一棵树。

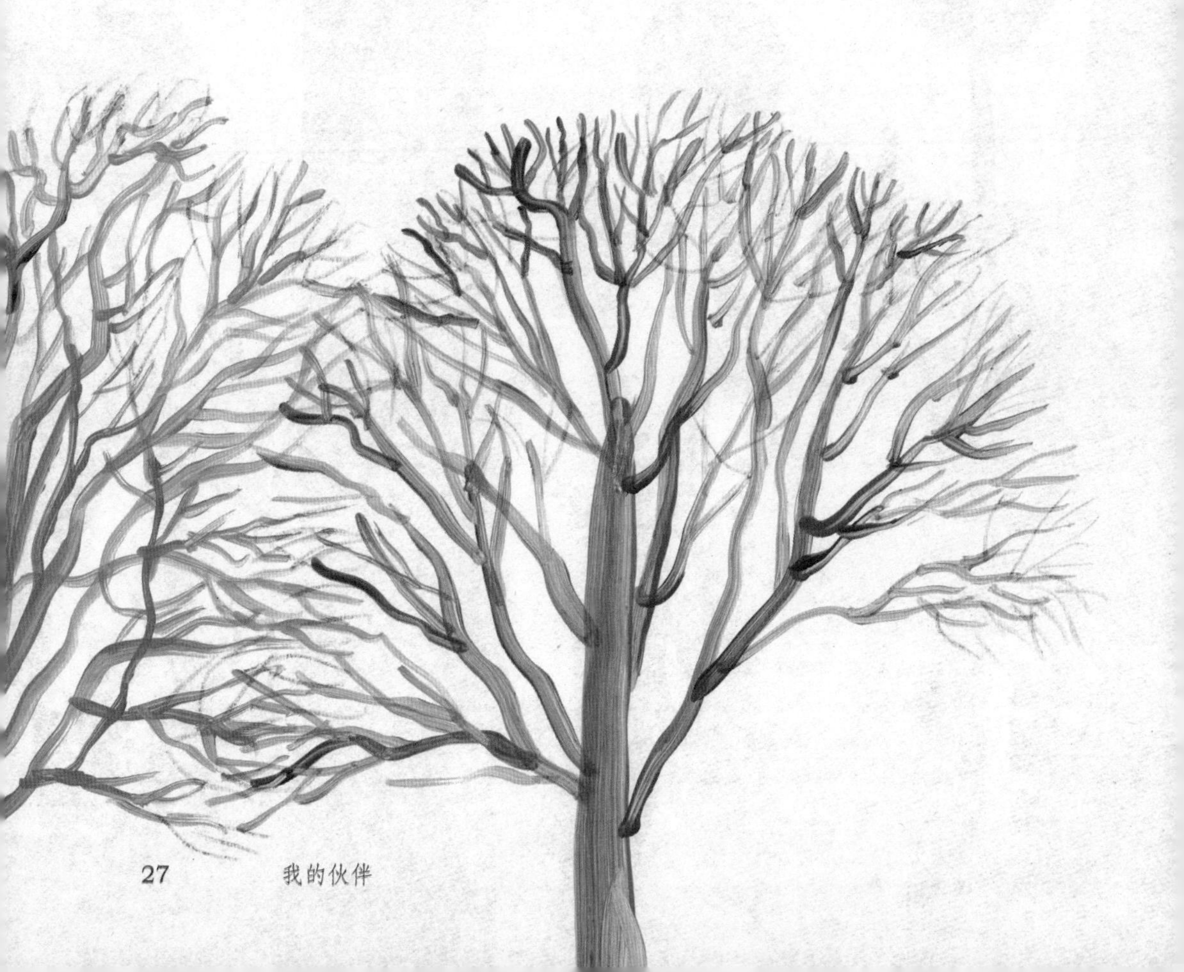

猜猜我有多爱你

本单元的诗文写的是家人之间的亲情。以爱来滋养的家庭，无论是富裕还是清贫，都永远是我们最温暖、最安全的港湾。阅读时，要细细体会其中蕴含的爱，不妨邀请爸爸妈妈一起读。读完后，再想一想，家人之间应当如何相处?

cāi cai wǒ yǒu duō ài nǐ

猜猜我有多爱你①

[爱尔兰] 山姆·麦克布雷尼

小兔子和爸爸一起谈论“我有多爱你”的问题。无论小兔子说出的爱有多少，大兔子的爱都比他的多。其实，这正是父爱与母爱的真相。尽量多地去爱你的爸爸妈妈吧！要知道，他们对你的爱永远都比你想象的多。

请你给爸爸妈妈朗读这篇短文，然后也像小兔子一样，说出你对爸爸妈妈的爱。记得说完以后还要给他们一个大大的拥抱哦。

xiǎo lì sè tù zi gāi shàng chuáng shuì jiào

小栗色兔子该上床睡觉

le kě shì tā jǐn jǐn de zhuā zhù dà lì sè

了，可是他紧紧地抓住大栗色

tù zi de cháng ěr duo bú fàng tā yào dà tù

兔子的长耳朵不放。他要大兔

① 选自《猜猜我有多爱你》，安妮塔·婕朗绘图，梅子涵译，明天出版社2013年。

zi hǎo hǎo tīng tā shuō
子好好听他说。

cāi cai wǒ yǒu duō ài nǐ tā
“猜猜我有多爱你。”他
shuō
说。

dà tù zi shuō ò zhè wǒ kě
大兔子说：“哦，这我可
cāi bù chū lái
猜不出来。”

zhè me duō xiǎo tù zi shuō
“这么多。”小兔子说，
tā bǎ shǒu bì zhāng kāi kāi de bù néng zài
他把手臂张开，开得不能再
kāi
开。

dà tù zi de shǒu bì yào cháng de duō
大兔子的手臂要长得多，
wǒ ài nǐ yǒu zhè me duō tā shuō
“我爱你有这么多。”他说。

ǹg zhè zhēn shì hěn duō xiǎo tù zi
嗯，这真是很多，小兔子
xiǎng
想。

wǒ de shǒu jǔ de yǒu duō gāo wǒ
“我的手举得有多高，我
jiù yǒu duō ài nǐ xiǎo tù zi shuō
就有多爱你。”小兔子说。

wǒ de shǒu jǔ de yǒu duō gāo wǒ
“我的手举得有多高，我
jiù yǒu duō ài nǐ dà tù zi shuō
就有多爱你。”大兔子说。

zhè kě zhēn gāo xiǎo tù zi xiǎng wǒ
这可真高，小兔子想，我
yào shi yǒu nà me cháng de shǒu bì jiù hǎo le
要是有那么长的手臂就好了。

xiǎo tù zi yòu yǒu le yí gè hǎo zhǔ
小兔子又有了一个好主
yi tā dào lì qǐ lai bǎ jiǎo chēng zài shù
意，他倒立起来，把脚撑在树
gàn shang
干上。

wǒ ài nǐ yì zhí dào wǒ de jiǎo zhǐ
“我爱你一直到我的脚指
tou tā shuō
头。”他说。

dà tù zi bǎ xiǎo tù zi bào qǐ lai
大兔子把小兔子抱起来，

jǔ guò zì jǐ de tóu dǐng wǒ ài nǐ yì
举过自己的头顶，“我爱你一
zhí dào nǐ de jiǎo zhǐ tou
直到你的脚指头。”

wǒ tiào de yǒu duō gāo jiù yǒu duō ài
“我跳得有多高就有多爱
nǐ xiǎo tù zi xiào zhe tiào shàng tiào xià
你！”小兔子笑着跳上跳下。

wǒ tiào de yǒu duō gāo jiù yǒu duō ài
“我跳得有多高就有多爱
nǐ dà tù zi yě xiào zhe tiào qǐ lai
你。”大兔子也笑着跳起来，
tā tiào de zhè me gāo ěr duo dōu pèng dào shù
他跳得这么高，耳朵都碰到树
zhī le
枝了。

zhè zhēn shì tiào de tài bàng le xiǎo tù
这真是跳得太棒了，小兔
zi xiǎng wǒ yào shi néng tiào de zhè me gāo jiù
子想，我要是能跳得这么高就
hǎo le
好了。

wǒ ài nǐ xiàng zhè tiáo xiǎo lù shēn
“我爱你，像这条小路伸

dào xiǎo hé nà me yuǎn xiǎo tù zi hǎn
到小河那么远。”小兔子喊
qǐ lái
起来。

wǒ ài nǐ yuǎn dào kuà guò xiǎo
“我爱你，远到跨过小
hé zài fān guò shān qiū dà tù
河，再翻过山丘。”大兔
zi shuō
子说。

zhè kě zhēn yuǎn xiǎo tù zi xiǎng tā
这可真远，小兔子想。他
tài kùn le xiǎng bù chū gèng duō de dōng xi lái
太困了，想不出更多的东西来
le tā wàng zhe guàn mù cóng nà biān de
了。他望着灌木丛那边的
yè kōng méi yǒu shén me bǐ hēi chén chén de tiān
夜空，没有什么比黑沉沉的天
kōng gèng yuǎn le
空更远了。

wǒ ài nǐ yì zhí dào yuè liang nà
“我爱你一直到月亮那
lǐ shuō wán xiǎo tù zi bì shàng le
里。”说完，小兔子闭上了

yǎn jing
眼睛。

ò zhè zhēn shì hěn yuǎn dà
“哦，这真是很远，”大

tù zi shuō fēi cháng fēi cháng de yuǎn
兔子说，“非常非常地远。”

dà tù zi bǎ xiǎo tù zi fàng dào yòng yè
大兔子把小兔子放到用叶

zi pū chéng de chuáng shang tā dī xià tóu lái
子铺成的床上。他低下头来，

qīn le qīn xiǎo tù zi duì tā shuō wǎn ān
亲了亲小兔子，对他说晚安。

rán hòu tā tǎng zài xiǎo tù zi de shēn biān wēi
然后他躺在小兔子的身边，微

xiào zhe qīng shēng de shuō
笑着轻声地说：

wǒ ài nǐ yì zhí dào yuè liang nà
“我爱你一直到月亮那

lǐ zài cóng yuè liang shang huí dào zhè lǐ lái
里，再从月亮上回到这里来。”

chuān qiǎn lán gé zi chèn shān de tài yáng

穿浅蓝格子衬衫的太阳[1]

王立春

在你读下面这首诗之前，先猜一猜，为什么太阳会“穿浅蓝格子衬衫”？读完以后再想想，“穿浅蓝格子衬衫的太阳”到底指谁？

你家里也有这样的“太阳”吗？也许还不止一个吧？她（或他）今天穿的是什么衣服？你可以现在就去对她（或他）说：“你就是我们家里穿……衣服的太阳！”

zhǐ yào shí zhōng néng bǎ wǔ diǎn zhuàng xiǎng

只要时钟能把五点撞响

mā ma nǐ jiù néng cóng nà piàn fáng zi zhōng zǒu chū lai

妈妈你就能从那片房子中走出来

nǐ xià bān le mā ma

你下班了 妈妈

① 选自《中华活页文选》（小学版），2010年第11期。有改动。

shǒu li pěng zhe gāng mǎi de dòu jiǎo
手里捧着刚买的豆角

huò shì zǐ sè de qié zi
或是紫色的茄子

cōng cōng de wǎng jiā zǒu
匆匆地往家走

bái sè de fēng zài nǐ de shǒu shang tiào dú jiǎo wǔ
白色的风在你的手上跳独脚舞

nǐ dōu kàn bú jiàn
你都看不见

zhǐ guǎn yí gè xīn si de huí jiā
只管一个心思地回家

yí lù xiǎo pǎo
一路小跑

mā ma nǐ kàn nà tài yáng yě wǎng jiā zǒu zhe
妈妈你看那太阳也往家走着

xī shān nà biān shì tā de jiā
西山那边是她的家

tā jìng bù huāng bù máng

她竟不慌不忙

yīn wèi tā méi yǒu hái zi

因为她没有孩子

ér nǐ de hái zi zài xī yáng de jiǎo bù shēng li

而你的孩子在夕阳的脚步声里

zhǔn shí de zhàn shang chuāng tái

准时地站上窗台

bí zi zài bō li shang

鼻子在玻璃上

yā chéng yì pái biǎn biǎn de xiǎo mó gu

压成一排扁扁的小蘑菇

mā ma rú guǒ nǐ zhǎng zhe jù rén de tuǐ

妈妈如果你长着巨人的腿

jiù kě yǐ yí bù kuà guò háo gōu kuà guò dà dì kuà guò xiǎo hé

就可以一步跨过壕沟跨过大地跨过小河

hòu jiǎo dōu bú yòng tái

后脚都不用抬

jiù dào le wǒ men mén qián
就到了我们门前

huā lā lā de dà mén shēng li
哗啦啦的大门声里

wǒ men yào bèng qǐ lai
我们要蹦起来

jìn wū shí
进屋时

wǒ men dōu zhuǎn xiàng le nǐ
我们都转向了你

xiàng càn làn de xiàng rì kuí
像灿烂的向日葵

mā ma
妈妈

nǐ shì wǒ men dài zhe yì liǎn xiào de
你是我们带着一脸笑的

chuān qiǎn lán gé zi chèn shān de tài yáng
穿浅蓝格子衬衫的太阳

tóu fa

头发[1]

［美国］桑德拉·希斯内罗丝

你的家庭成员的头发都是什么样子的？有什么相同之处？又有什么不同之处，还有，看看他们的眼睛或者手，有什么相似点没有？读完这篇文章后，仔细观察一下大家，然后试着描述描述。

wǒ men jiā li měi gè rén de tóu fa dōu

我们家里每个人的头发都

bù yí yàng bà ba de tóu fa xiàng sào bǎ

不一样。爸爸的头发像扫把，

gēn gēn zhí lì wǎng shàng chā ér wǒ wǒ de

根根直立往上插。而我，我的

---

① 选自《芒果街上的小屋》，潘帕译，译林出版社2006年。

tóu fa tǐng lǎn duò tā cóng lái bù tīng fà jiā
头发挺懒惰。它从来不听发夹

hé fà dài de huà kǎ luò sī de tóu fa yòu
和发带的话。卡洛斯的头发又

zhí yòu hòu tā bú yòng shū tóu lěi nī de
直又厚。他不用梳头。蕾妮的

tóu fa huá huá de huì cóng nǐ shǒu li liū
头发滑滑的——会从你手里溜

zǒu hái yǒu qí qi tā zuì xiǎo róng róng
走。还有奇奇，他最小，茸茸

de tóu fa xiàng máo pí
的头发像毛皮。

zhǐ yǒu mā ma de tóu fa mā ma de
只有妈妈的头发，妈妈的

tóu fa hǎo xiàng yì duǒ duǒ xiǎo xiǎo de méi gui
头发，好像一朵朵小小的玫瑰

huā jié yì méi méi xiǎo xiǎo de táng guǒ quān
花结，一枚枚小小的糖果圈

er quán dōu nà me quán qū nà me piào
儿，全都那么拳曲，那么漂

liang yīn wèi tā chéng tiān gěi tā men shàng fà
亮，因为她成天给它们上发

juǎn bǎ bí zi shēn jìn qù wén yi wén ba
卷。把鼻子伸进去闻一闻吧，

dāng tā lǒu zhe nǐ shí dāng tā lǒu zhe nǐ
当她搂着你时。当她搂着你

shí nǐ jué de nà me ān quán wén dào de
时，你觉得那么安全，闻到的

qì wèi yòu nà me xiāng tián shì nà zhǒng dài kǎo
气味又那么香甜。是那种待烤

de miàn bāo nuǎn nuǎn de xiāng wèi shì nà zhǒng tā
的面包暖暖的香味，是那种她

gěi nǐ ràng chū yì jiǎo bèi wō shí hé zhe tǐ
给你让出一角被窝时，和着体

wēn sàn fā de fēn fāng nǐ shuì zài tā shēn
温散发的芬芳。你睡在她身

páng wài miàn xià zhe yǔ bà ba dǎ zhe
旁，外面下着雨，爸爸打着

hān ò hān shēng yǔ shēng hái yǒu mā
鼾。哦，鼾声、雨声，还有妈

ma nà wén qǐ lai xiàng miàn bāo de tóu fa
妈那闻起来像面包的头发。

读寓言·懂道理

本单元选了四篇古今中外的寓言故事，每篇都包含着一个做人的道理。试着独立阅读这些寓言故事，想想其中的道理。注意要好好动脑筋哦，可以在“阅读提示”中寻找线索。如果实在想不出，就问问家长或老师吧。

tiān wén xué jiā

天文学家①

［古希腊］伊索

天文学家用心观测星星，却没注意脚下的井。有人觉得他很可笑，但也有人读了这个故事后，认为应该支持天文学家。你的看法是怎样的呢？

yǒu gè tiān wén xué jiā měi tiān wǎn shang
有个天文学家，每天晚上
zhào lì dōu yào dào wài miàn qù guān cè xīng xiàng
照例都要到外面去观测星象。
yǒu yì huí tā lái dào chéng wài yì xīn wàng
有一回，他来到城外，一心望
zhe tiān kōng yí bù liú shén diào dào yì kǒu jǐng
着天空，一不留神掉到一口井
li tā dà shēng hū jiù yǒu gè guò lù rén
里。他大声呼救，有个过路人

① 选自《世界著名寓言》，伊索等著，罗念生等译，人民文学出版社1998年。

tīng jiàn zǒu guò lai wèn míng yuán yīn duì

听见，走过来，问明原因，对

tā shuō péng you nǐ yòng xīn guān chá tiān

他说：“朋友，你用心观察天

shang de qíng kuàng què bú kàn dì shang de

上的情况，却不看地上的

shì qing

事情。”

zhè ge gù shi shì yòng yú zhè yàng yì zhǒng

这个故事适用于这样一种

rén tā men lián rén men rèn wéi shì pǔ tōng de

人：他们连人们认为是普通的

shì qing dōu bàn bú dào què pīn mìng kuā kuā qí

事情都办不到，却拼命夸夸其

tán

谈。

yú rén shí yán

愚人食盐①

故事里这个愚蠢的人，空口吃盐，闹了笑话。他不知道，菜肴好吃，不只是盐的功劳。他也不知道，好东西超过了必要的量，就会变得不好。有一个成语叫作“过犹不及”,就是说的这个意思。问问你的爸爸妈妈，让他们给你说说其他的“过犹不及”的故事。

cóng qián yǒu yí gè yú chǔn de rén dào
从前有一个愚蠢的人，到
bié rén jiā li zuò kè zhǔ rén liú tā chī
别人家里做客。主人留他吃
fàn tā xián cài yáo tài dàn wèi dào bù zú
饭，他嫌菜肴太淡，味道不足。
zhǔ rén tīng le jiù zài tā cài li tiān le yì
主人听了，就在他菜里添了一

① 选自《百喻经译注》，周绍良译注，北京图书馆出版社2006年。本文标题为编者所加。

diǎn yán
点盐。

tā gǎn dào cài de wèi dào hǎo duō le
他感到菜的味道好多了，

jiù zì yán zì yǔ dào zhè wèi dào zhī suǒ
就自言自语道：“这味道之所

yǐ néng zhè yàng měi shì yīn wèi yǒu yán de yuán
以能这样美，是因为有盐的缘

gù jiā le zhè yì diǎn diǎn yǐ jīng zhè yàng
故。加了这一点点已经这样，

yào shi zài jiā duō xiē qǐ bú gèng hǎo
要是再加多些岂不更好！”

zhè ge chǔn rén méi yǒu tóu nǎo biàn kōng
这个蠢人没有头脑，便空

kǒu chī qǐ yán lái jié guǒ chī de kǒu gān shé
口吃起盐来。结果吃得口干舌

kǔ fǎn ér shǐ tā tòng kǔ wàn fēn
苦，反而使他痛苦万分。

xiū wū lòu

修屋漏①

“迂”字本来的意思是“远”。一个人如果言行或见解陈旧、不合时宜，就是“迂”。这个故事里的“迂公”，认为修好的屋顶到晴天就没有用了，却没想到将来还会下雨。这样，是不是脱离实际，见解陈旧？是不是“迂”？

yóu yú yīn yǔ lián mián yū gōng jiā de
由于阴雨连绵，迂公家的
wū zi lòu yǔ le yí yè jiù nuó le hǎo jǐ
屋子漏雨了，一夜就挪了好几
cì chuáng zuì hòu lián yí kuài gān de dì fang dōu
次床，最后连一块干的地方都
méi yǒu le qī zi ér nǚ dōu hù xiāng mán
没有了。妻子儿女都互相埋

---

① 选自《中国古代寓言故事精选》，岑献青编著，中国少年儿童出版社2007年。有改动。

yuàn yū gōng gǎn máng zhǎo lái gōng jiàng xiū bǔ fáng
怨。迂公赶忙找来工匠修补房
wū fèi le hěn duō gōng fu yě huā le hěn
屋，费了很多工夫，也花了很
duō qián
多钱。

wū zi gāng xiū hǎo tiān jiù fàng qíng
屋子刚修好，天就放晴
le ér qiě zhěng zhěng yí gè yuè dōu shì qíng
了，而且整整一个月都是晴
tiān yū gōng rì yè wàng zhe xiū lǐ guò de wū
天。迂公日夜望着修理过的屋
dǐng tàn xī shuō wǒ zhēn shì gè kǔ mìng
顶，叹息说：“我真是个苦命
de rén a gāng gāng xiū hǎo wū dǐng tiān jiù
的人啊，刚刚修好屋顶，天就
bú xià yǔ le zhè bú shì ràng wǒ bái bái de
不下雨了，这不是让我白白地
làng fèi le gōng fu hé qián cái ma
浪费了工夫和钱财吗？”

duǎn mìng jú hé xiān rén zhǎng

短命菊和仙人掌①

卢培英

“短命菊”“短命”是因为它没有长远的目光，不像仙人掌那样把根深深地扎入地下。只有根扎得深，基础打得牢，才能有源源不断的力量。生活和学习都是这个道理呀！

shā mò li xià le yì chǎng xiǎo yǔ duǎn
沙漠里下了一场小雨，短
mìng jú de zhǒng zi zhān shang yì diǎn er yǔ shuǐ jiù
命菊的种子沾上一点儿雨水就
fā yá shēng zhǎng le tā de gēn zhā zài qiǎn qiǎn
发芽生长了。它的根扎在浅浅
de tǔ rǎng biǎo miàn xiān rén zhǎng duì tā shuō
的土壤表面。仙人掌对它说：
jú mèi ya gēn zi zhā de yuè shēn yuè
“菊妹呀，根子扎得越深越

① 选自《知识寓言百篇》，辽宁少年儿童出版社1984年。

hǎo shēn chù cái yǒu yòng zhī bù jié de dì xià

好，深处才有用之不竭的地下

shuǐ

水。”

duǎn mìng jú shuō tíng zài shàng miàn de

短命菊说：“停在上面的

yǔ shuǐ zú gòu wǒ hē de shǎ guā cái huì xiàng

雨水足够我喝的。傻瓜才会像

nǐ nà yàng hēng chī hēng chī fèi nà me dà de

你那样，哼哧哼哧费那么大的

jìn bù tíng de wǎng dì xià zuān ne

劲，不停地往地下钻呢！”

kě shì dì shang de shuǐ shì yǒu xiàn

“可是地上的水是有限

de dì xià shuǐ cái shì fēng fù de

的，地下水才是丰富的。”

wǒ cái bù kǎo lǜ nà me yuǎn ne

“我才不考虑那么远呢。

xiàn zài yǒu shuǐ hē jiù xíng a chē dào shān

现在有水喝就行啊，‘车到山

qián bì yǒu lù ma

前必有路’嘛！”

hàn jì lái le tǔ rǎng biǎo miàn de shuǐ

旱季来了，土壤表面的水

yì jīng tài yáng bào shài mǎ shàng biàn chéng shuǐ zhēng
一经太阳暴晒，马上变成水蒸

qì shēng dào tiān shang jié chéng le yún duǒ duǎn
气升到天上，结成了云朵。短

mìng jú hē bú dào shuǐ huā er diāo xiè zhī
命菊喝不到水，花儿凋谢，枝

yè kū sǐ le xiān rén zhǎng ne zhè shí
叶枯死了。仙人掌呢，这时，

tā de gēn yǐ zuān dào shí duō mǐ shēn de dì
它的根已钻到十多米深的地

fang hē zhe yuán yuán bú duàn de dì xià shuǐ
方，喝着源源不断的地下水，

nà bì lǜ jiàn zhuàng de qū tǐ zài gān zào de
那碧绿健壮的躯体，在干燥的

shā mò li shǎn yào zhe shēng mìng de guāng cǎi
沙漠里闪耀着生命的光彩。

故事会

本单元是一组丰富多彩的小故事，有中国的，也有外国的。希望这组故事能给你带来开心的每一天。如果有的故事太长，可以求助于爸爸妈妈，和他们一起读，感受感受听他们讲故事的幸福吧。

jiè guāng

借光①

马华

你听过“借光”这个词语吗？大人们在请求别人帮忙时常用这个词。你知道这个词语的来历吗？这个词语其实是来自一个有趣的历史故事。

gān mào cóng qín guó táo dào qí guó qù

甘茂从秦国逃到齐国去，

zǒu chū hán gǔ guān jīn hé nán shěng líng bǎo xiàn

走出函谷关（今河南省灵宝县

nán pèng jiàn sū dài zhèng yào dào qín guó

南），碰见苏代正要到秦国

lái tā jiù wèn sū dài

来。他就问苏代：

nǐ tīng shuō guò jiāng biān yì xiē gū niang

“你听说过江边一些姑娘

men de shì qing ma

们的事情吗？”

---

① 选自《成语历史故事》，陕西人民出版社1983年。有改动。

wǒ méi yǒu tīng shuō guò sū dài
“我没有听说过。”苏代
huí dá shuō
回答说。

gān mào jiē zhe shuō jiāng biān yǒu yí
甘茂接着说：“江边有一
gè gū niang jiā li hěn qióng diǎn bù qǐ
个姑娘，家里很穷，点不起
dēng zǒng shì dào bié de gū niang men diǎn zhe dēng
灯，总是到别的姑娘们点着灯
de wū zi li qù zuò zhēn xiàn bié de gū niang
的屋子里去做针线。别的姑娘
men jiàn tā lǎo shì bú dài dēng yóu lái duì tā
们见她老是不带灯油来，对她
hěn tǎo yàn jiù gǎn tā zǒu zhè ge gū niang
很讨厌，就赶她走。这个姑娘
shuō wǒ yīn wèi mǎi bù qǐ dēng yóu suǒ
说：‘我因为买不起灯油，所
yǐ měi cì dōu xiān dào zhè jiān wū zi li lái
以每次都先到这间屋子里来，
bǎ dì shang dǎ sǎo gān jìng bǎ zuò wèi ān pái
把地上打扫干净，把座位安排
tuǒ dàng ràng nǐ men shū shu fu fu de zuò zhēn
妥当，让你们舒舒服服地做针

xiàn mǎn wū zi dōu shì liàng táng táng de
线。满屋子都是亮堂堂的，

nǐ men wèi shén me duì wǒ yào lìn xī yì diǎn
你们为什么对我要吝惜一点

duō yú de guāng liàng ne xī wàng nǐ men néng
多余的光亮呢？希望你们能

gòu ràng wǒ dāi zài zhè lǐ jiè yì diǎn guāng
够让我待在这里借一点光。

zhè duì yú nǐ men bìng méi yǒu sǔn shī ér
这对于你们并没有损失，而

duì wǒ què dà yǒu hǎo chù hé bì gǎn wǒ
对我却大有好处，何必赶我

zǒu ne bié de gū niang men tīng tā shuō
走呢？’别的姑娘们听她说

de yǒu dào lǐ hù xiāng shāng yì zhī hòu
的有道理，互相商议之后，

jiù liú tā zài yì qǐ zuò zhēn xiàn huó
就留她在一起做针线活。

xiàn zài wǒ fàn le cuò wù bèi
“现在我犯了错误，被

qín guó gǎn dào guān wài lái dǎ suàn dào qí
秦国赶到关外来，打算到齐

guó qù qíng yuàn tì nǐ zuò xiē dǎ sǎo wū
国去，情愿替你做些打扫屋

zi hé ān pái zuò wèi zhī lèi de shì qing xī
子和安排座位之类的事情，希
wàng nǐ bú yào bǎ wǒ gǎn zǒu
望你不要把我赶走！”

sū dài tīng dǒng le tā huà lǐ de yì
苏代听懂了他话里的意
si mǎ shàng shuǎng kuài de shuō hǎo de
思，马上爽快地说：“好的。
nǐ dào qí guó qù ba wǒ yí dìng jiào qí guó
你到齐国去吧，我一定叫齐国
zūn zhòng nǐ
尊重你。”

sū dài dào le qín guó xiān duì qín wáng
苏代到了秦国，先对秦王
shuō gān mào lí kāi qín guó duì qín guó shí zài
说甘茂离开秦国，对秦国实在
bú lì bìng quàn qín wáng yòng lóng zhòng de lǐ
不利，并劝秦王用隆重的礼
jié bǎ gān mào yíng huí lái qín wáng jiē shòu
节，把甘茂迎回来。秦王接受
le zhè ge yì jiàn hòu lái sū dài huí dào qí
了这个意见。后来苏代回到齐
guó yòu duì qí wáng shuō gān mào rú guǒ bèi qín
国，又对齐王说甘茂如果被秦

guó yíng huí qù shí zài shì qí guó de sǔn
国迎回去，实在是齐国的损

shī bìng quàn qí wáng zhòng yòng gān mào yú shì
失，并劝齐王重用甘茂。于是

qí wáng liú gān mào zài qí guó zuò le shàng qīng
齐王留甘茂在齐国做了上卿。

yǐ hòu de rén jiù gēn jù gān mào shuō de
以后的人就根据甘茂说的

jiāng biān nà gè qióng gū niang jiè dēng guāng de gù shi
江边那个穷姑娘借灯光的故事

qíng jié yǐn shēn chéng jiè guāng zhè ge shuō
情节，引申成“借光”这个说

fǎ yòng lái biǎo dá qǐng qiú bié rén zài bù fáng
法，用来表达请求别人在不妨

hài zì jǐ lì yì de qíng kuàng xià jǐ yǔ fāng
害自己利益的情况下，给予方

biàn de yì si
便的意思。

大萝卜①

［苏联］阿·托尔斯泰

拔萝卜啊拔萝卜，拔萝卜真好玩儿。老头儿来拔，老婆儿来拔，小狗小猫儿也来拔，最后小耗子也来拔……一个人虽然拔不出来，大伙儿一起动手，终于把大萝卜拔了出来。这就叫作齐心协力。

一个老头儿种下了萝卜，对它说：“长大呀，长大呀，萝卜啊，长得甜哪！长大呀，长大呀，萝卜啊，长得结实啊！”

---

① 选自《俄罗斯民间故事》，任溶溶译，时代出版社，1954年。

yí gè luó bo zhǎng chū lai le, zhǎng de
一个萝卜长出来了，长得

yòu tián、yòu jiē shi、yòu dà de liǎo bu
又甜、又结实、又大得了不

dé。lǎo tóu er jiù qù bá luó bo：tā bá
得。老头儿就去拔萝卜：他拔

le yòu bá，bá bù chū lái。
了又拔，拔不出来。

lǎo tóu er bǎ lǎo pó er jiào lái。
老头儿把老婆儿叫来。

lǎo pó er lā lǎo tóu er，
老婆儿拉老头儿，

lǎo tóu er a bá luó bo——
老头儿啊拔萝卜——

tā men bá le yòu bá，bá bù chū lái。
他们拔了又拔，拔不出来。

lǎo pó er bǎ sūn nǚ er jiào lái。
老婆儿把孙女儿叫来。

sūn nǚ er lā lǎo pó er，
孙女儿拉老婆儿，

lǎo pó er lā lǎo tóu er，
老婆儿拉老头儿，

lǎo tóu er a bá luó bo
老头儿啊拔萝卜

tā men bá le yòu bá， bá bù chū lái
他们拔了又拔，拔不出来。

sūn nǚ er bǎ xiǎo gǒu er jiào lái
孙女儿把小狗儿叫来。

xiǎo gǒu er lā sūn nǚ er
小狗儿拉孙女儿，

sūn nǚ er lā lǎo pó er
孙女儿拉老婆儿，

lǎo pó er lā lǎo tóu er
老婆儿拉老头儿，

lǎo tóu er a bá luó bo
老头儿啊拔萝卜

tā men bá le yòu bá， bá bù chū lái
他们拔了又拔，拔不出来。

xiǎo gǒu er bǎ xiǎo māo er jiào lái
小狗儿把小猫儿叫来。

xiǎo māo er lā xiǎo gǒu er
小猫儿拉小狗儿，

xiǎo gǒu er lā sūn nǚ er
小狗儿拉孙女儿，

sūn nǚ er lā lǎo pó er
孙女儿拉老婆儿，

lǎo pó er lā lǎo tóu er
老婆儿拉老头儿，

lǎo tóu er a bá luó bo
老头儿啊拔萝卜

tā men bá le yòu bá bá bù chū lái
他们拔了又拔，拔不出来。

xiǎo māo er bǎ xiǎo hào zi er jiào lái
小猫儿把小耗子儿叫来。

xiǎo hào zi er lā xiǎo māo er
小耗子儿拉小猫儿，

xiǎo māo er lā xiǎo gǒu er
小猫儿拉小狗儿，

xiǎo gǒu er lā sūn nǚ er
小狗儿拉孙女儿，

sūn nǚ er lā lǎo pó er
孙女儿拉老婆儿，

lǎo pó er lā lǎo tóu er
老婆儿拉老头儿，

lǎo tóu er a bá luó bo
老头儿啊拔萝卜——

tā men bá le yòu bá bǎ luó bo bá chū lai le
他们拔了又拔——把萝卜拔出来了。

星月之歌

宇宙是我们永恒的家园。古往今来，天上的云彩，云上的星月，总能引起人们深沉悠远的思考，激起人们的歌咏赞叹。本单元所选的这组文章，写的便是天上的这些朋友。读完这个单元后，不妨在星星、月亮、云彩中选择一个，给“他”写一封信。

xīng yuè de lái yóu
星月的来由[1]

顾城

有人说，星星、月亮都是巨大的天体；也有人说，星星、月亮都是夜空的眼睛：前者是科学家，后者则是诗人。想象是无拘无束的。作者在下面这首诗里是如何想象星月的来历的？当你看到星空、月夜的时候，又想到了什么？

shù zhī xiǎng qù sī liè tiān kōng
树枝想去撕裂天空，

què zhǐ chuō chéng le jǐ gè wēi xiǎo de kū long
却只戳成了几个微小的窟窿，

tā tòu chū le tiān wài de guāng liàng
他透出了天外的光亮，

rén men bǎ tā jiào zuò yuè liàng hé xīng xing
人们把它叫作月亮和星星。

---

① 选自《顾城的诗》，人民文学出版社1998年。

duì xīng xing de nuò yán
对星星的诺言[1]

[智利]卡夫列拉·米斯特拉尔

这也是一首关于星星的诗。大声朗读一遍，然后说一说，与上一首《星月的来由》相比，你更喜欢哪一首？为什么？

xīng xing zhēng zhe xiǎo yǎn jing
星星睁着小眼睛，

guà zài hēi sī róng shang liàng jīng jīng
挂在黑丝绒上亮晶晶，

nǐ men cóng shàng wǎng xià wàng
你们从上往下望：

kàn wǒ kě chún zhēn
看我可纯真？

xīng xing zhēng zhe xiǎo yǎn jing
星星睁着小眼睛，

① 选自《少年文艺》（写作版），2007年第1期。王永年译。

qiàn zài níng mì de tiān kōng shǎn shǎn liàng
嵌在宁谧的天空闪闪亮，

nǐ men zài gāo chù
你们在高处，

shuō wǒ kě shàn liáng
说我可善良？

xīng xing zhēng zhe xiǎo yǎn jing
星星睁着小眼睛，

jié máo zhǎ bù zhǐ
睫毛眨不止，

nǐ men wèi shén me yǒu zhè me duō yán sè
你们为什么有这么多颜色，

yǒu lán yǒu hóng hái yǒu zǐ
有蓝，有红，还有紫？

hào qí de xiǎo yǎn jing
好奇的小眼睛，

chè yè zhēng zhe bú shuì mián
彻夜睁着不睡眠，

méi gui sè de lí míng
玫瑰色的黎明，

wèi shén me yào mǒ diào nǐ men
为什么要抹掉你们？

xīng xing de xiǎo yǎn jing
星星的小眼睛，

sǎ xià lèi dī huò lù zhū
洒下泪滴或露珠。

nǐ men zài shàng miàn dǒu gè bù tíng
你们在上面抖个不停，

shì bu shì yīn wèi hán lěng
是不是因为寒冷？

xīng xing de xiǎo yǎn jing
星星的小眼睛，

wǒ xiàng nǐ men bǎo zhèng
我向你们保证：

nǐ men chǒu zhe wǒ
你们瞅着我，

wǒ yǒng yuǎn yǒng yuǎn chún zhēn
我永远、永远纯真。

云彩[1]

你喜欢抬头看天上的云彩吗？美丽的云彩变成各种形状，仿佛是童话世界的来客。云彩除了美丽，对人们的生活有什么帮助呢？读了下面这篇文章，你就明白啦。

云儿在天空中飘来飘去，时而高，时而低。它有时沉进黑沉沉的夜幕中，有时又融入温暖和煦的阳光下。啊！我非常想知道，你是否想做些有用

① 选自《美国语文——美国小学语文经典读本》（上），威廉·H. 麦加菲主编，刘双、张利雪译，天津社会科学院出版社2010年。有改动。

de gōng zuò ne
的工作呢？

shì de wǒ men rì rì yè yè dōu hěn
是的，我们日日夜夜都很

máng lù yīn wèi zài dì qiú zhī shàng wǒ men
忙碌。因为在地球之上，我们

yǒu zì jǐ de lù yào zǒu wǒ men shì yǔ de
有自己的路要走。我们是雨的

xié dài zhě wǒ men yào wèi lǜ cǎo xiān huā
携带者，我们要为绿草、鲜花

hé zhuāng jia dài qù jí shí yǔ zài chì rì yán
和庄稼带去及时雨。在赤日炎

yán de xià jì wǒ men bǎo hù nǐ men bú shòu
炎的夏季，我们保护你们不受

qiáng liè yáng guāng de zhào shè
强烈阳光的照射。

诗与歌

本单元是一组有关“做人”的诗文。想要做一个优秀的人，需要具备很多美德，这可绝不是一朝一夕就能培养起来的，需要长期的坚持和努力。让我们从小做起吧。

cāng làng gē
沧浪歌①

《沧浪歌》是春秋战国时期的民歌，孔子、孟子都曾经提到过。《楚辞》里记载说，屈原由于品行高洁，遭到坏人陷害，被楚王流放到边远的地方。在那里有一位渔夫，唱了这首《沧浪歌》来安慰他。

cāng làng zhī shuǐ qīng xī
沧浪之水清兮，

kě yǐ zhuó wú yīng
可以濯吾缨②，

cāng làng zhī shuǐ zhuó xī
沧浪之水浊兮，

kě yǐ zhuó wú zú
可以濯吾足。

---

① 选自《楚辞补注》，［宋］洪兴祖撰，中华书局1983年。本文标题为编者所加。

② 濯：洗。缨：帽缨，系帽的丝带。

zhé yáng liǔ gē cí

折杨柳歌辞[1]

这是南北朝时期北方的一首民歌，写一位少年骑着骏马，在原野上飞奔的情景。当时，有许多北方游牧民族进入中原，逐渐像汉族一样过起定居生活。不过，他们的生活习惯，还是保留了许多游牧民族的特点，喜爱“快马”便是其中之一。

jiàn ér xū kuài mǎ
健儿须快马，

kuài mǎ xū jiàn ér
快马须健儿。

bì bá huáng chén xià
跸跋[2]黄尘下，

rán hòu bié xióng cí
然后别雄雌[3]。

① 选自《乐府诗集》，［宋］郭茂倩编，中华书局1979年。

② 跸跋：形容马快跑。

③ 别雄雌：分高下的意思。

zēng guǎng xián wén jié xuǎn

《增广贤文》（节选）①

《增广贤文》是我国古代一部著名的儿童读物。书中收录了许多格言警句，讲了许多为人处世的道理。下面选了其中几句。

dú shū xū yòng yì, yí zì zhí qiān jīn.

读书须用意，一字值千金。

yì nián zhī jì zài yú chūn, yí rì zhī jì zài yú yín, yì jiā zhī jì zài yú hé, yì shēng zhī jì zài yú qín.

一年之计在于春，一日之计在于寅，一家之计在于和，一生之计在于勤。

guāng yīn sì jiàn, rì yuè rú suō.

光阴似箭，日月如梭。

---

① 选自《重订增广》，周希陶编，岳麓书社1987年。

亲子阅读：好妈妈·好爸爸

和孩子一起成长，不仅是父母的责任，更是父母的幸福。本单元的两篇文章写的是国外的父母是怎样对待孩子的，适合进行亲子阅读。这样，不仅孩子能够有所收获，父母也一定会受到启发。

最美妙的一句话[1]

姜钦峰

杰克的妈妈以“最美妙的一句话”帮助了儿子的一生。这句话看似平淡，却蕴含着母爱的伟大与母亲的智慧。这样的处理方式的确值得父母深思和借鉴。

美国通用电气公司董事长杰克·韦尔奇小时候有口吃的毛病，他曾努力试图矫正，却收效甚微。口吃给他幼小的心灵蒙上了一层阴影，他深感自卑。

① 选自《人民文摘》，2007年第3期。

yǒu yì tiān wéi ěr qí hé tóng xué qù
有一天，韦尔奇和同学去
cān tīng chī fàn tā diǎn le yí fèn zuì ài chī
餐厅吃饭，他点了一份最爱吃
de jīn qiāng yú sān míng zhì méi xiǎng dào fú wù
的金枪鱼三明治，没想到服务
yuán què gěi tā duān lái liǎng fèn wéi ěr qí
员却给他端来两份。韦尔奇
yǒu xiē qí guài de wèn wǒ zhǐ diǎn le yí
有些奇怪地问："我只点了一
fèn sān míng zhì nǐ zěn me gěi wǒ shàng le liǎng
份三明治，你怎么给我上了两
fèn ne fú wù yuán jiě shì shuō méi
份呢？"服务员解释说："没
yǒu cuò a wǒ míng míng tīng dào nǐ yào liǎng fèn
有错啊，我明明听到你要两份
jīn qiāng yú sān míng zhì yuán lái wéi ěr
金枪鱼三明治。"原来，韦尔
qí zài shuō jīn qiāng yú
奇在说"tuna sandwiches"（金枪鱼
sān míng zhì shí yīn wèi jǐn zhāng ér shuō chéng le
三明治）时因为紧张而说成了
ér fú wù yuán tīng
"tu-tuna sandwiches"，而服务员听

qǐ lai jiù shì liǎng
起来就是“two-tuna sandwiches”（两
fèn jīn qiāng yú sān míng zhì tóng xué men wèi
份金枪鱼三明治）。同学们为
cǐ xiào de zhí bù qǐ yāo wéi ěr qí gān gà
此笑得直不起腰，韦尔奇尴尬
wàn fēn
万分。

huí dào jiā li tā xiàng mǔ qīn kū sù
回到家里，他向母亲哭诉
zì jǐ de zāo yù
自己的遭遇。

mǔ qīn pāi pai tā de xiǎo nǎo dai shuō
母亲拍拍他的小脑袋说：
hái zi nà shì yīn wèi nǐ tài cōng míng
“孩子，那是因为你太聪明，
suǒ yǐ nǐ de zuǐ bā wú fǎ gēn shang nǐ cōng míng
所以你的嘴巴无法跟上你聪明
de nǎo dai guā tīng dào zhè jù huà wéi
的脑袋瓜。”听到这句话，韦
ěr qí tái qǐ tóu pò tì wéi xiào
尔奇抬起头，破涕为笑。

wéi ěr qí yī rán kǒu chī yī rán huì
韦尔奇依然口吃，依然会

zāo rén cháo xiào dàn tā bú zài wèi cǐ gǎn dào
遭人嘲笑，但他不再为此感到

zì bēi suì nà nián tā chéng wéi měi guó
自卑。45岁那年，他成为美国

tōng yòng diàn qì gōng sī lì shǐ shang zuì nián qīng de
通用电气公司历史上最年轻的

dǒng shì zhǎng hé shǒu xí zhí xíng guān hòu lái
董事长和首席执行官。后来，

wéi ěr qí jīng cháng tí qǐ mǔ qīn de zhè jù
韦尔奇经常提起母亲的这句

huà tā shuō nà shì qì jīn wéi zhǐ wǒ
话。他说：“那是迄今为止我

tīng dào guò de zuì měi miào de yí jù huà yě
听到过的最美妙的一句话，也

shì mǔ qīn sòng gěi wǒ de zuì wěi dà de yí jiàn
是母亲送给我的最伟大的一件

lǐ wù
礼物。”

给孩子的忠告①

gěi hái zi de zhōng gào

这是一位父亲为孩子写下的忠告。年轻的父母们，从中受到了启发吗？孩子们初涉人世时，获得父母的经验与教训，是十分重要的。这是智慧的传递，也是美德的教育。

gēn rén jiǎng huà shí zhèng shì duì fāng de yǎn jing

跟人讲话时正视对方的眼睛。

duì rén duō shuō yì shēng xiè xie nǐ

对人多说一声“谢谢你”。

duì rén duō shuō yì shēng láo jià

对人多说一声“劳驾”。

liàng rù wéi chū

量入为出。

jǐ suǒ yù shī zhū rén

己所欲，施诸人。

---

① 选自《爱的学校——西方国家教育孩子经典心得》，卢佩蕊编，南方出版社1998年。有改动。本文标题为编者所加。

jié jiāo xīn péng you zhēn xī jiù yǒu qíng
结交新朋友，珍惜旧友情。

yán shǒu mì mì
严守秘密。

xué yì jiù lǎo lǎo shí shí qù xué qiè wù làng fèi shí jiān qù xué qí zhōng de huā zhāo
学艺就老老实实去学，切勿浪费时间去学其中的花招。

chéng rèn cuò wù
承认错误。

yào yǒng gǎn
要勇敢。

xuǎn dìng mǒu gè cí shàn jī gòu chū qián chū lì zhī chí tā
选定某个慈善机构，出钱出力支持它。

yǒng bù qī zhà
永不欺诈。

yǒng yuǎn bú yào shǐ bié rén shī qù xī wàng tā suǒ yǒu de kě néng jiù zhǐ yǒu xī wàng
永远不要使别人失去希望；他所有的可能就只有希望。

xué huì dì tīng jī huì kòu mén yǒu shí
学会谛听。机会叩门有时

hou shì hěn qīng de
候是很轻的。

bú yào qí qiú shàng tiān cì nǐ shēn wài
不要祈求上天赐你身外

wù yào qí qiú zhì huì hé yǒng qì
物，要祈求智慧和勇气。

fèn nù shí qiè wù xíng dòng
愤怒时切勿行动。

bǎo chí liáng hǎo de zī tài tà jìn rèn
保持良好的姿态。踏进任

hé fáng jiān shí dōu yào áng shǒu kuò bù chōng
何房间时，都要昂首阔步，充

mǎn zì xìn
满自信。

yào yíng dé zhàn zhēng bù fáng dǎ yí cì
要赢得战争，不妨打一次

bài zhàng
败仗。

bú yào fēi duǎn liú cháng
不要飞短流长。

wú qīng yì yìng nuò xué xí zěn yàng yǒu
毋轻易应诺。学习怎样有

lǐ mào de gān cuì de jù jué tā rén de yāo
礼貌地、干脆地拒绝他人的要

qiú
求。

yǒng yuǎn bú yào dī gū kuān shù de lì
永远不要低估宽恕的力

liàng
量。

qiè wù luàn diū lā jī
切勿乱丢垃圾。

bú yào tuō dàng zài bì xū zuò de shí
不要拖宕。在必须做的时

hou zuò gāi zuò de shì
候做该做的事。

fēn qīng qīng zhòng huǎn jí
分清轻重缓急。

bú yào pà shuō wǒ bù zhī dào
不要怕说：“我不知道。”

bú yào pà shuō duì bu qǐ
不要怕说：“对不起。”

xiě chū nǐ xī wàng zuò de jiàn shì qing
写出你希望做的25件事情。

趣味科普

在生活中，你是个“小问号”吗？你经常提出一些连爸爸妈妈都答不上来的问题吗？当谁都不知道答案的时候，你是怎么做的？是放弃，还是去查资料，动脑筋思考，不管多麻烦也要弄清楚？好奇心是成长路上最好的老师。所以，你一定要坚持提问题，慢慢学会自己寻找解决问题的办法，这样才会真的成长起来。

如果你是巨人会怎样？①

［美国］罗伯特·埃利希

我们都曾经幻想自己是一个巨人，就像童话中的一样。那样，我们可以一步跨出很远，多远的距离都难不倒我们；我们还可以力大无穷，再厉害的坏蛋也打不过我们……不过，你知道吗？如果我们成为巨人，却可能遇到其他难以想象的麻烦，比如：站不起来、吃不饱饭……那可怎么办啊？

记得童话故事中的“杰克与豆茎”吗？在故事里，巨人的力量总是很强大，也很恐怖，会做出令人震撼的事情。

---

① 选自《令孩子惊奇的72个科学异想》，李毓昭译，中国海关出版社2005年。

dàn rú guǒ nǐ zhēn de biàn chéng le jù rén huò
但如果你真的变成了巨人，或

xǔ huì ràng nǐ yà yì de shì yì xiē nǐ bù néng
许会让你讶异的是一些你不能

zuò de shì guāng shì zǎo shang cóng chuáng shang qǐ shēn
做的事。光是早上从床上起身

jiù yào ràng nǐ huā fèi hěn dà de lì qi
就要让你花费很大的力气。

rú guǒ nǐ de shēn tǐ shì xiàn zài de
如果你的身体是现在的

bèi nǐ jiù bù néng kuài sù de zhàn qǐ lai
10倍，你就不能快速地站起来

huò tiào yuè yīn wèi chén zhòng de shēn tǐ huì bǎ
或跳跃，因为沉重的身体会把

nǐ lā huí dì miàn nǐ de dòng zuò huì gēn dà
你拉回地面。你的动作会跟大

xiàng yí yàng bèn zhuō yì qǐ shēn jiù róng yì diē
象一样笨拙，一起身就容易跌

dǎo yīn wèi tǐ zhòng de guān xì nǐ kě néng
倒。因为体重的关系，你可能

huì jīng cháng shòu shāng
会经常受伤。

zhòng lì duì shēn tǐ de lā lì chēng wéi
重力对身体的拉力称为

tǐ zhòng nǐ yǒu méi yǒu zhù yì dào
“体重”。你有没有注意到，
xiàng dà xiàng zhè zhǒng páng dà de dòng wù hé jiào xiǎo
像大象这种庞大的动物和较小
de dòng wù xiāng bǐ tuǐ yǔ shēn tǐ de bǐ lì
的动物相比，腿与身体的比例
dà le hěn duō jù xíng dòng wù xū yào jiào cū
大了很多？巨型动物需要较粗
de tuǐ lái zhī chēng tā de tǐ zhòng jiǎ shè nǐ
的腿来支撑它的体重。假设你
de shēn tǐ shì xiàn zài de bèi dàn bǎo chí
的身体是现在的10倍，但保持
tóng yàng de bǐ lì nǐ jiù huì gāo bèi
同样的比例，你就会高10倍，
cū bèi kuān bèi tǐ zhòng zé shì
粗10倍，宽10倍，体重则是
biàn chéng le xiàn zài tǐ zhòng de
10×10×10，变成了现在体重的
bèi jiù suàn nǐ de tuǐ shì xiàn zài de
1000倍。就算你的腿是现在的
bèi nǐ běn shēn de zhòng liàng yě huì ràng
10倍，你本身的重量，也会让
nǐ shuāi dǎo yīn wèi nǐ de tuǐ bì xū yào zhī
你摔倒，因为你的腿必须要支

chēng nǐ bèi de tǐ zhòng
撑你1000倍的体重。

nà nǐ nà bèi dà de shēn tǐ yì
那你那10倍大的身体，一
zhěn tiān yào zuò xiē shén me ne guāng shì zhǎo dōng
整天要做些什么呢？光是找东
xī chi jiù yào huā hěn duō shí jiān nǐ gēn běn
西吃就要花很多时间，你根本
méi yǒu bàn fǎ qù zuò bié de shì
没有办法去做别的事。

dòng wù de shēn tǐ yuè dà jiù yào chī
动物的身体越大，就要吃
yuè duō dōng xi wéi chí shēng mìng dà xiàng shēn tǐ
越多东西维持生命。大象身体
páng dà shì lù dì shang hái cún zài de dòng wù
庞大，是陆地上还存在的动物
zhōng tǐ jī zuì dà de nǐ rèn wéi tā men yǒu
中体积最大的。你认为它们有
shí jiān yòng shǒu jī liáo tiān zuò yùn dòng huò shàng
时间用手机聊天、做运动或上
xué ma méi yǒu tā men jī hū yì zhěng tiān
学吗？没有，它们几乎一整天
dōu zài jìn shí dà jiā dōu tīng shuō guò kǒng lóng
都在进食。大家都听说过恐龙

ba jù dà de kǒng lóng bǐ dà xiàng hái yào
吧。巨大的恐龙比大象还要

dà bú guò méi yǒu dòng wù kě yǐ zhòng dá dà
大，不过没有动物可以重达大

xiàng tǐ zhòng de bèi rú guǒ zhè yàng de
象体重的100倍，如果这样的

dòng wù cún zài de huà tā men kě néng gēn běn
动物存在的话，它们可能根本

zhǎo bú dào zú gòu de dōng xi chī ér qiě
找不到足够的东西吃，而且

gǎo bù hǎo lián zhàn dōu zhàn bù qǐ lái
搞不好连站都站不起来。

shén me dōng xi kě yǐ chuān qiáng ér guò

什么东西可以“穿墙而过”？①

［美国］罗伯特·埃利希

你想象过穿墙而过吗？如果什么东西都挡不住我们，那我们会多么厉害啊！但是，在日常生活中，这种能力是不存在的。请你阅读下面这篇短文，看看自然界中有什么东西可以拥有这样的能力。虽然你可能见不到它，但它确实存在呢。

---

jiǎ rú nǐ kě yǐ chuān guò qiáng bì nà
假如你可以穿过墙壁，那
duō lìng rén kāi xīn shì bu shì rú guǒ bà
多令人开心，是不是？如果爸
mā shuō nǐ yào zuò wán gōng kè cái kě yǐ
妈说：“你要做完功课才可以
lí kāi fáng jiān méi guān xì nǐ kě yǐ
离开房间。”没关系，你可以
zhí jiē chuān guò guān qǐ lai de mén zǒu chū jiā
直接穿过关起来的门，走出家

---

① 选自《令孩子惊奇的72个科学异想》，李毓昭译，中国海关出版社2005年。有改动。本文标题为编者所加。

mén ér yí hàn de shì jiǎn dōng xi shí yào
门！而遗憾的是，捡东西时要
xiǎng bú ràng tā chuān guò nǐ de shǒu zhǎng jiù hěn
想不让它穿过你的手掌，就很
bù fāng biàn le
不方便了。

zài shí jì shēng huó zhōng gù tǐ yǒu yí
在实际生活中，固体有一
dìng de xíng zhuàng bú huì qīng yì gǎi biàn yí
定的形状，不会轻易改变。一
gè gù tǐ chuān guò lìng yí gè gù tǐ shí huì
个固体穿过另一个固体时，会
zài shàng miàn liú xià chuān guò de dòng nǐ bǎ dīng
在上面留下穿过的洞。你把钉
zi dìng zài mù tou shang zài bǎ dīng zi bá
子钉在木头上，再把钉子拔
chū lai jiù huì kàn dào mù tou shang yǒu yí gè
出来，就会看到木头上有一个
dòng dàn shì yǒu xiē dōng xi què néng guǐ yì de
洞。但是有些东西却能诡异地
chuān guò qiáng bì ér bú yòng dǎ dòng nà jiù
穿过墙壁，而不用打洞，那就
shì qiú zhuàng shǎn diàn zhè shì yì zhǒng hěn
是“球状闪电”。这是一种很

bù xún cháng de shǎn diàn xíng zhuàng rú tóng fā guāng
不寻常的闪电，形状如同发光

de qiú qiú zhuàng shǎn diàn de yí dòng bǐ nǐ zài
的球。球状闪电的移动比你在

yì bān bào fēng yǔ zhōng kàn dào de shǎn diàn màn hěn
一般暴风雨中看到的闪电慢很

duō hái yǒu yì diǎn hé pǔ tōng shǎn diàn bù tóng
多。还有一点和普通闪电不同

de shì tā bú huì zài chuān tòu wù tǐ shí zào
的是，它不会在穿透物体时造

chéng shāng hài yǒu xiē rén kàn dao guò qiú zhuàng shǎn
成伤害。有些人看到过球状闪

diàn chuān guò fáng zi de qiáng bì huò fēi jī shí
电穿过房子的墙壁或飞机时，

méi yǒu liú xià dòng kē xué jiā hái bù néng què
没有留下洞。科学家还不能确

dìng qiú zhuàng shǎn diàn shì zěn me fā shēng de yě
定球状闪电是怎么发生的，也

wú fǎ yù cè tā shén me shí hou fā shēng
无法预测它什么时候发生。

开心一刻

只有我们人类才懂得讲“笑话”，也只有人类听了笑话会哈哈大笑。笑是多么宝贵的能力啊！读读下面这几个好笑的故事，你是不是也不知不觉地笑出了声？

bèn gǒu xióng qǐng kè

笨狗熊请客[1]

樊发稼

这真是只可爱的笨笨熊啊。你知道他的客人为什么都没有来吗？

bèn gǒu xióng yǒu hǎo duō péng you
笨狗熊有好多朋友：

shān hóu la líng yáng la yě zhū la
山猴啦，羚羊啦，野猪啦，

bān mǎ la xī niú la tù zi la huā
斑马啦，犀牛啦，兔子啦，花

māo la děng děng
猫啦，等等。

bèn gǒu xióng yào zài tā shēng rì nà tiān qǐng
笨狗熊要在他生日那天请

péng you men lái chī fàn
朋友们来吃饭。

bèn gǒu xióng gāng gāng bān guò jiā dà huǒ
笨狗熊刚刚搬过家，大伙

---

① 选自《童话王国》，河北少年儿童出版社1996年。有改动。

er dōu bù zhī dào tā xiàn zài zhù de fáng zi zài
儿都不知道他现在住的房子在

nǎ er
哪儿。

tā jué dìng gěi měi yí gè péng you xiě yì
他决定给每一个朋友写一

fēng xìn
封信。

tā xún si wǒ yīng gāi zài xìn shang
他寻思，我应该在信上

bǎ wǒ jiā xīn fáng zi de biāo jì gào sù péng
把我家新房子的标记告诉朋

you men
友们。

bèn gǒu xióng zǒu chū fáng zi kàn le kàn
笨狗熊走出房子看了看，

chǒu jiàn fáng dǐng shang zhèng qī xī zhe yì zhī bái sè
瞅见房顶上正栖息着一只白色

de gē zi
的鸽子。

bèn gǒu xióng gāo xìng jí le bù jīn zì
笨狗熊高兴极了，不禁自

yán zì yǔ de shuō duì jiù zhè me zhe
言自语地说：“对，就这么着：

wǒ zài xìn shang shuō，wǒ jiā fáng dǐng shang yǒu yì
我在信上说，我家房顶上有一

zhī bái gē，zhè jiù shì biāo jì。zhè yàng，
只白鸽，这就是标记。这样，

péng you men jiù yí dìng hěn róng yì rèn chū wǒ de
朋友们就一定很容易认出我的

xīn fáng zi le！”
新房子了！”

shēng rì nà tiān， bèn gǒu xióng wèi péng you
生日那天，笨狗熊为朋友

men zhǔn bèi le shí fēn fēng shèng de fàn cài。 wū
们准备了十分丰盛的饭菜。屋

lǐ wū wài shōu shi de zhěng zhěng qí qí gān gān jìng
里屋外收拾得整整齐齐干干净

jìng
净。

dàn shì， bèn gǒu xióng cóng qīng zǎo yì zhí
但是，笨狗熊从清早一直

děng dào tiān hēi， shǐ zhōng bú jiàn yí gè kè rén
等到天黑，始终不见一个客人

lái。 tā nà mèn jí le， yě shāng xīn jí le。
来。他纳闷极了，也伤心极了。

zhè jiū jìng shì zěn me huí shì ne
——这究竟是怎么回事呢？

cōng míng de xiǎo péng you， qǐng nǐ kāi dòng
聪明的小朋友，请你开动

nǎo jīn xiǎng yi xiǎng
脑筋想一想。

gāi lái de bù lái

该来的不来[1]

“该来的不来”“不该走的走了”“我不是说他们啊”……主人三句话就把所有的客人都“赶跑”了。你知道这是为什么吗?

yǒu gè rén qǐng kè, kàn kan shí jiān
有个人请客，看看时间

guò le, hái yǒu yí dà bàn de kè rén méi
过了，还有一大半的客人没

lái。 zhǔ rén xīn li hěn zháo jí, biàn shuō:
来。主人心里很着急，便说：

“zěn me gǎo de, gāi lái de kè rén hái bù
“怎么搞的，该来的客人还不

lái?” yì xiē mǐn gǎn de kè rén tīng dào
来？”一些敏感的客人听到

le, xīn xiǎng:“gāi lái de méi lái, nà
了，心想：“该来的没来，那

① 选自《中国古代寓言故事》，学习型中国读书工程教研中心编，哈尔滨出版社2009年。

wǒ men shì bù gāi lái de lou　yú shì qiāo
我们是不该来的喽？”于是悄

qiāo de zǒu le
悄地走了。

zhǔ rén yí kàn yòu zǒu diào hǎo jǐ wèi kè
主人一看又走掉好几位客

rén　yuè fā zháo jí le　biàn shuō　zěn
人，越发着急了，便说：“怎

me zhè xiē bù gāi zǒu de kè rén　fǎn dào zǒu
么这些不该走的客人，反倒走

le ne　shèng xià de kè rén yì tīng　yòu
了呢？”剩下的客人一听，又

xiǎng　zǒu le de shì bù gāi zǒu de　nà
想：“走了的是不该走的，那

wǒ men zhè xiē méi zǒu de dào shì gāi zǒu de
我们这些没走的倒是该走的

le　yú shì yě dōu zǒu le
了！”于是也都走了。

zuì hòu zhǐ shèng xià yí gè gēn zhǔ rén jiào
最后只剩下一个跟主人较

qīn jìn de péng you　kàn le zhè zhǒng gān gà
亲近的朋友，看了这种尴尬

de chǎng miàn　jiù quàn tā shuō　nǐ shuō huà
的场面，就劝他说：“你说话

qián yīng gāi xiān kǎo lǜ yí xià fǒu zé shuō cuò
前应该先考虑一下，否则说错

le jiù bù róng yì shōu huí lai le zhǔ
了，就不容易收回来了。”主

rén dà jiào yuān wang jí máng jiě shì shuō wǒ
人大叫冤枉，急忙解释说：“我

bìng bú shì jiào tā men zǒu wa péng you tīng
并不是叫他们走哇！”朋友听

le dà wéi nǎo huǒ shuō bú shì jiào tā
了大为恼火，说：“不是叫他

men zǒu nà jiù shì jiào wǒ zǒu le shuō
们走，那就是叫我走了。”说

wán tóu yě bù huí de lí kāi le
完，头也不回地离开了。

汉语意趣

一年级已经过去了，现在你已经会写多少个汉字了？你觉得方块形状的汉字好看吗？本单元选取了两篇关于汉字的文章。快来读读吧！

像画一样的象形字[1]

张欣

方块汉字是怎么来的，你知道吗？最早的汉字，是仿照事物的形象而来，所以叫作“象形字”。读读下面的文章，了解一点儿关于象形字的知识吧！

象形字，顾名思义，就是说字的形状是仿照事物的形状书写而成的。例如，“山”字在古代写作“”，“日”字写作“”，“鸟”字写作“”。

① 选自《中华活页文选》（小学版），2010年第9期。有改动。

jiǎ rú wǒ men néng gòu chuān yuè dào shàng gǔ shí dài
假如我们能够穿越到上古时代，
kàn dào zhè xiē zì yí xià zi jiù néng cāi dào
看到这些字，一下子就能猜到
zhè xiē zì de yì si le
这些字的意思了。

dāng rán xì xīn de tóng xué tí chū yí
当然，细心的同学提出疑
wèn le wèi shén me wǒ cóng xiàn zài de hàn
问了：“为什么我从现在的汉
zì xíng tǐ zhōng kàn bù chū tā biǎo shì de yì si
字形体中看不出它表示的意思
ne zhè qí zhōng yǒu liǎng gè yuán yīn
呢？”这其中有两个原因。

dì yī xiàng xíng zì yòng xíng tǐ miáo mó
第一，象形字用形体描摹
shì wù de tè diǎn jué dìng le xiàng xíng zì shì
事物的特点，决定了象形字是
zuì yuán shǐ de zào zì fāng fǎ zài cháng yòng zì
最原始的造字方法，在常用字
lǐ xiàng xíng zì suǒ zhàn bǐ lì jí xiǎo hàn
里，象形字所占比例极小。汉
dài de shuō wén jiě zì li xiàng xíng zì
代的《说文解字》里，象形字

zhǐ yǒu sān bǎi liù shí duō gè zhàn bú dào bǎi fēn zhī
只有三百六十多个，占不到百分之

sì hàn dài yǐ hòu yì qiān duō nián lái zhǐ
四。汉代以后，一千多年来只

zào le sǎn āo tū děng shǎo shù jǐ
造了“伞、凹、凸”等少数几

gè xiàng xíng zì xiàn zài yǐ jī běn bú zài yòng
个象形字，现在已基本不再用

zhè zhǒng fāng fǎ zào zì le bú guò xiàng xíng
这种方法造字了。不过，象形

què shì hàn zì zào zì de jī chǔ shì hàn zì
却是汉字造字的基础，是汉字

zhōng zuì yuán shǐ de bù fen yīn wèi xiàng xíng zì
中最原始的部分，因为象形字

jù yǒu hěn dà de jú xiàn xìng qiě bù shuō chōu
具有很大的局限性，且不说抽

xiàng de yì yì wú xíng kě xiàng jiù shì jù tǐ
象的意义无形可象，就是具体

de dōng xi yě bú shì dōu kě yǐ xiàng xíng
的东西，也不是都可以“象形”

chū lai de yòng zhè zhǒng fāng fǎ gòu zào hàn zì
出来的。用这种方法构造汉字

méi fǎ mǎn zú jì lù yǔ yán de xū yào yǐ
没法满足记录语言的需要。以

hòu zào zì yě shì zài xiàng xíng zì de jī chǔ shàng
后造字也是在象形字的基础上
jiā jiǎn bǐ huà huò zhě shāo zuò gǎi biàn ér chéng
加减笔画或者稍作改变而成
de
的。

dì èr hàn zì de xíng tǐ shì yí gè
第二，汉字的形体是一个
zhú jiàn yǎn huà de guò chéng jīng lì le cóng jiǎ
逐渐演化的过程。经历了从甲
gǔ wén jīn wén dà zhuàn dào xiǎo zhuàn lì
骨文、金文、大篆到小篆、隶
shū cǎo shū kǎi shū xíng shū de yǎn huà
书、草书、楷书、行书的演化
guò chéng zài cǐ qī jiān hěn duō xiàng xíng zì
过程。在此期间，很多象形字
de xíng tǐ yǐ jīng fā shēng le hěn dà de biàn
的形体已经发生了很大的变
huà cóng xià miàn de zhè jǐ gè lì zi kě yǐ
化，从下面的这几个例子可以
kàn chū yì kāi shǐ de xiàng xíng zì hái yǒu huà
看出，一开始的象形字还有画
chū lai de yì si kě yuè dào hòu lái jiù yuè
出来的意思，可越到后来就越

bú xiàng xíng le
不“象形”了。

zhì jīn xǔ duō hàn zì hái liú yǒu xiàng xíng
至今许多汉字还留有象形

de yǐng zi zǐ xì zuó mo jiù kě yǐ kàn chū
的影子，仔细琢磨就可以看出

tā de yuán xíng lái lì rú kǒu shēn ěr
它的原形来。例如口、身、耳、

shǒu shān tián jǐng shuǐ huǒ yún
手、山、田、井、水、火、云、

diàn yǔ sǎn mén děng děng qí xíng
电、雨、伞、门等等，其“形

xiàng yī rán cún zài
象”依然存在。

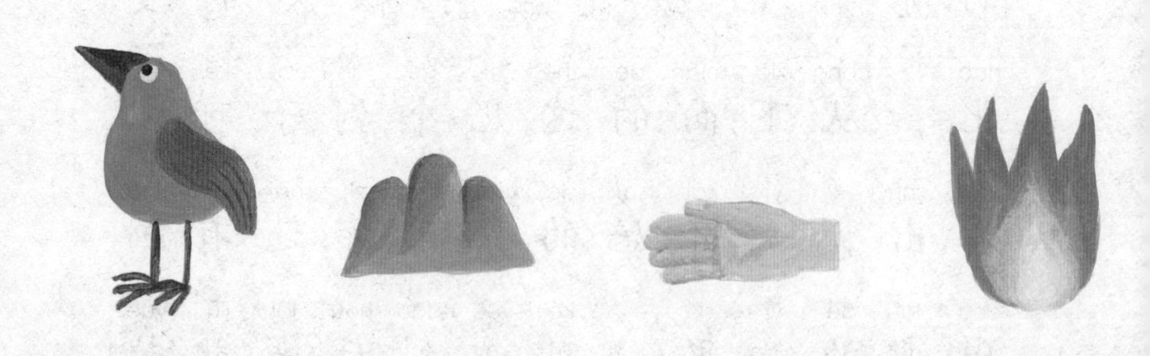

yǔ shù mù yǒu guān de hàn zì

与树木有关的汉字①

高雪静

读完下面的文章后，请想一想，哪些汉字与水有关呢？它们又有什么共同特征？

gǔ dài de mù zì xiě zuò

古代的“木”字写作“[illegible]”

mù zì zài jiǎ gǔ wén shí qī xiě

“木”字在甲骨文时期写

zuò zǐ xì guān chá yí xià mù

作“[illegible]”，仔细观察一下，“木”

zì de jiǎ gǔ wén xíng tǐ shì bu shì hěn xiàng shù

字的甲骨文形体是不是很像树

mù de xíng zhuàng ya duì le de

木的形状呀！对了，“[illegible]”的

shàng bù biǎo shì shù tóu de xià bù

上部表示树头，“[illegible]”的下部

biǎo shì shù gēn suǒ yǐ zài gǔ dài mù

表示树根。所以，在古代“木”

① 选自《中华活页文选》（小学版），2010年第1期。有改动。

zuì chū biǎo shì shù de yì si
最初表示“树”的意思。

zài hàn zì zhōng yǒu hěn duō yòng
在汉字中，有很多用

mù zuò wéi bù shǒu de zì rú běn
“木”作为部首的字，如“本、

mò shù guǒ cūn děng děng tā men
末、树、果、村”等等，它们

suǒ biǎo shì de yì yì dà dōu shì yǔ shù mù
所表示的意义大都是与树木

yǒu guān de yǒu de tóng xué kě néng yào wèn
有关的。有的同学可能要问

le shù hé guǒ de yì yì yǔ
了，“树”和“果”的意义与

shù mù yǒu guān kě yǐ lǐ jiě kě
“树木”有关可以理解，可

běn mò zěn me huì hé shù mù yǒu
“本”“末”怎么会和树木有

guān ne xià miàn wǒ men yào wèi dà jiā xiáng xì
关呢，下面我们要为大家详细

jiǎng jiě yí xià
讲解一下。

yī běn yuán lái shì shù gēn
（一）“本”，原来是树根

rén men jīng cháng shuō wǒ gēn běn méi
人们经常说，“我根本没

jiàn guò tā tā gēn běn méi yǒu shuō guò zhè
见过他”“他根本没有说过这

yàng de huà nǐ men zhī dào ma gēn
样的话”……你们知道吗，“根

běn de běn zì zuì chū shì biǎo shì shù
本”的“本”字最初是表示“树

gēn de yì si de
根”的意思的。

běn zài jīn wén shí qī xiě zuò
“本”在金文时期写作“[illegible]”，

mù xià miàn yǒu sān gè xiǎo hēi diǎn zhè xiē xiǎo
木下面有三个小黑点，这些小

hēi diǎn biǎo shì shù mù de gēn bù suǒ yǐ
黑点表示树木的根部，所以

běn zì biǎo shì shù gēn de yì si hòu
“本”字表示树根的意思。后

lái dào le xiǎo zhuàn shí qī rén men wèi le
来，到了小篆时期，人们为了

shǐ běn zì de shū xiě gèng jiā jiǎn biàn
使“本”字的书写更加简便，

biàn jiāng shù mù gēn bù de sān gè xiǎo hēi diǎn lián
便将树木根部的三个小黑点连

chéng le yì tiáo xiàn, biǎo shì shù gēn de wèi
成了一条线，表示树根的位

zhì, yīn cǐ, "běn" de xíng tǐ biàn chéng
置，因此，“本”的形体变成

le "[字形]" de xíng zhuàng. ér "[字形]" de
了“[字形]”的形状。而“[字形]”的

zhè ge xíng tǐ zài kǎi shū yǐ hòu jiù fā zhǎn chéng
这个形体在楷书以后就发展成

le wǒ men jīn tiān suǒ xiě de "běn" zì le.
了我们今天所写的“本”字了。

èr mò yuán lái shì shù shāo

（二）“末”，原来是树梢

zài hàn yǔ zhōng běn mò dào zhì zhè
在汉语中“本末倒置”这
ge chéng yǔ tā shì shén me yì si ne shì
个成语，它是什么意思呢？是
shuō bǎ zhòng yào de gēn běn de dōng xi yǔ bú
说把重要的、根本的东西与不
zhòng yào de cì yào de dōng xi diān dǎo guò lai
重要的、次要的东西颠倒过来
le méi yǒu zhuā zhù gēn běn zài zhè ge chéng
了，没有抓住根本。在这个成
yǔ zhōng běn biǎo shì gēn běn de
语中，“本”表示“根本的、
zhòng yào de dōng xi huò shì qing mò
重要的东西或事情”，“末”
biǎo shì cì yào de bú zhòng yào de dōng xi
表示“次要的、不重要的东西
huò shì qing
或事情”。

mò wèi shén me huì biǎo shì bú
“末”为什么会表示“不

zhòng yào de dōng xi huò shì qing ne wǒ men hái
重要的东西或事情呢？我们还

shì cóng mò zì de yuán tóu kàn qǐ ba
是从“末”字的源头看起吧。

mò zài jīn wén shí qī xiě zuò
“末”在金文时期写作

zǐ xì guān chá yí xià mò
“[illegible]”，仔细观察一下“末”

de xíng tǐ kàn kan tā yǒu shén me tè diǎn
的形体，看看它有什么特点。

mò shì yóu mù hé
“末”是由“[illegible]”（木）和“一”

gòu chéng de qí zhōng de biāo shí chū
构成的，其中的“一”标识出

le shù shāo de wèi zhì yóu cǐ wǒ men kě yǐ
了树梢的位置。由此我们可以

kàn chū gǔ shí de rén men zài biǎo dá shù
看出，古时的人们，在表达树

shāo de yì si shí huì xiān huà yì kē shù
梢的意思时，会先画一棵树，

bìng yòng biǎo shì chū shù shāo de wèi zhì
并用“一”表示出树梢的位置，

yǐ biàn rén men tōng guò zì xíng lái liǎo jiě hàn zì
以便人们通过字形来了解汉字